Les Voies de la réussite

Catalogage avant publication de Bibliothèque et Archives nationales du Québec et Bibliothèque et Archives Canada

Vedette principale au titre :

Les voies de la réussite : parcours différents vers un but commun : devenir ce que nous sommes

Comprend des réf. bibliogr.

ISBN 978-2-89225-672-7

1. Succès – Aspect psychologique. 2. But (Psychologie). 3. Potentiel humain (Psychologie). I. Bergeron, Jasmin, 1972- .

BF637.S8V64 2008 158.1 C2008-941990-1

Adresse municipale :
Les éditions Un monde différent
3905, rue Isabelle, Brossard, bureau 101
(Québec), Canada
J4Y 2R2
Tél. : 450 656-2660 ou 800 443-2582
Téléc. : 450 659-9328
Site Internet : http://www.unmondedifferent.com
Courriel : info@umd.ca

Adresse postale :
Les éditions Un monde différent
C.P. 51546
Succ. Galeries Taschereau
Greenfield Park (Québec)
J4V 3N8

Dépôts légaux : 4e trimestre 2008
Bibliothèque nationale du Québec
Bibliothèque nationale du Canada
Bibliothèque nationale de France

Conception graphique de la couverture :
OLIVIER LASSER

Photocomposition et mise en pages :
ANDRÉA JOSEPH [pagexpress@videotron.ca]

Typographie : Fairfield LH 13,6 sur 16 pts

ISBN 978-2-89225-672-7

Nous reconnaissons l'aide financière du gouvernement du Canada par l'entremise du Programme d'aide au développement de l'industrie de l'édition pour nos activités d'édition (PADIÉ).

Gouvernement du Québec – Programme de crédit d'impôt pour l'édition de livres – GESTION de la SODEC.

Imprimé au Canada

Les Voies de la réussite

Préface David Larose
Conclusion Claire Bergeron

Jasmin Bergeron
Hugo Dubé
Isabelle Fontaine
Sylvie Fréchette
Christine Michaud
Jiang Min
Jimmy Sévigny

UN MONDE DIFFÉRENT

Chez le même éditeur
Dans la même collection

Groupe du Bureau de conférenciers OriZon inc., *Réussir n'est pas péché : Gens d'affaires et personnalités sportives partagent leur vision du succès*, Brossard, éditions Un monde différent, 2003, 208 p.

Groupe du Bureau de conférenciers OriZon inc., *Coupables… de réussir ? Diverses personnalités partagent leur vision du succès*, Brossard, éditions Un monde différent, 2004, 192 p.

Groupe du Bureau de conférenciers OriZon inc., *L'art de réussir : Apprenez de ces artisans de la réussite à peindre la vie de vos rêves*, Brossard, éditions Un monde différent, 2006, 176 p.

Groupe du Bureau de conférenciers OriZon inc., *Les Voies de la réussite : parcours différents vers un but commun : devenir ce que nous sommes*, Brossard, éditions Un monde différent, 2008, 160 p.

Table des matières

David Larose

Cofondateur et président du Bureau de Conférenciers OriZon inc., une entreprise qui a su se positionner très rapidement comme un des leaders dans le domaine des conférences et de la formation, David est un gestionnaire créatif et fonceur qui a la réputation de relever chaque défi mis sur sa route.

Trempé dans le monde des affaires dès sa plus tendre enfance, David est passionné par la créativité, la vente et le marketing. Il a su se distinguer comme chef de file au sein des différentes firmes et projets dans lesquels il s'est impliqué. Aujourd'hui, il consacre son temps à la gestion, la création et au développement de nouveaux projets dans le domaine des conférences et de la formation.

Sa philosophie : « Une entreprise grandit lorsqu'elle prend conscience de la valeur humaine de chaque personne qui la constitue. »

Préface

De l'action en vue d'une pleine réalisation

Pourquoi lire ce livre? Que pouvez-vous y apprendre? Plusieurs questions se posent avant de décider de parcourir un tel ouvrage. Une seule réponse me vient: ce livre vous fera prendre conscience des possibilités propres à chacun de réaliser son plein potentiel, comme vous serez à même de le constater aussi bien dans votre vie qu'au travail.

Napoléon Ier a dit: «Quand on veut on peut, quand on peut on doit.» La vie est courte, donc nous avons peu de temps afin de nous réaliser. Combien de gens disent : « Demain je vais commencer mon régime », « je vais attendre la semaine prochaine avant de chercher un nouvel emploi » ou encore : « j'aime la peinture et je vais prendre le temps d'en faire à ma retraite ». On retrouve ces mêmes personnes plusieurs années plus tard, et rien n'a changé : ils occupent toujours cet emploi qu'ils n'aiment pas davantage. Ils n'ont pas encore perdu de poids ou ils sont décédés avant d'avoir atteint la retraite sans avoir pu exercer leur art. Alors, osez et passez à l'action dès aujourd'hui !

« Le temps ne s'occupe pas de réaliser nos espérances ; il fait son œuvre et s'envole. »

– EURIPIDE

Après le succès des livres *Réussir n'est pas péché*, *Coupables... de réussir ?* et *L'art de réussir !*, ce quatrième ouvrage, *Les Voies de la réussite*, affiche probablement de façon plus percutante son désir de conduire les lecteurs à la réalisation de leur plein potentiel humain.

Nous vous présentons ici sept personnalités qui, par leur histoire, leur enseignement ou leur stratégie en vue de la réussite, vous proposent une lecture stimulante susceptible de vous servir dans votre vie personnelle et professionnelle.

Depuis la fondation du Bureau de Conférenciers OriZon, dont je suis le président fondateur, j'ai constaté que les gens qui ont du succès ont tous un point en commun : la passion de ce qu'ils font. La passion pousse les gens aux plus grandes réussites. Si Sylvie Fréchette n'avait pas été passionnée par son sport, aurait-elle accepté de plonger jour après jour dans différentes piscines, à l'eau parfois très froide, afin de répéter ses sempiternelles séquences préparatoires, sa routine, sa série de mouvements et de représentations mentales pour atteindre la perfection et espérer se classer parmi les meilleures du monde ? Croyez-vous que Céline Dion serait devenue la plus grande chanteuse de la planète si elle avait cessé de perfectionner son art ? Elle était pourtant dotée d'une voix exceptionnelle.

Si nous étions prêts à faire les mêmes sacrifices, à nous astreindre à la même discipline que de tels athlètes et artistes d'élite, ne serions-nous pas en mesure d'atteindre les plus hauts sommets nous aussi ?

Un homme d'affaires parmi mes connaissances me disait qu'au début, il n'était vraiment pas passionné par les produits qu'il vendait. D'ailleurs, ses ventes en témoignaient : elles étaient particulièrement médiocres. Il voulait avant tout détenir sa propre entreprise et il avait sauté sur la première occasion qui s'était présentée. Il a pensé abandonner des centaines de fois jusqu'au jour où il a décrété vouloir être heureux au sein de son entreprise. Pour ce faire, il a décidé de chercher et de trouver une façon créative de présenter et de vendre son produit : des chandails personnalisés à manches courtes vendus en quantité dans les entreprises. À première vue, vous conviendrez qu'il n'y a là rien d'excitant. Un jour pourtant, il a jugé que ses chandails pouvaient être plus que de simples tee-shirts avec une petite particularité à l'image de l'entreprise.

Aussi, puisqu'il était passionné tout autant par le dessin que par le marketing, il a préféré jumeler ses deux passions au travail qu'il a choisi. Plutôt que de vendre de simples chandails à manches courtes, il convertirait ses chandails en véhicule publicitaire pour les entreprises. Il a donc commencé à créer des dessins originaux et créatifs, qu'il a imprimés sur son produit, et il a présenté son concept à ses divers clients. La passion était née ! Il n'est plus difficile pour lui de se lever jour après jour afin d'aller travailler.

Pourquoi je vous raconte cette histoire ? Je rencontre trop souvent des gens qui, comme Hugo Dubé les surnomme, ne sont que des « JUSTES » : *juste* une réceptionniste, *juste* un serveur, *juste* un gestionnaire. C'est fini, il faut vous considérer comme une personne indispensable à part entière et trouver ce qui vous passionne dans la vie, au travail comme à la maison. Vous avez un rôle à jouer et ces parcours différents veulent vous aider à le jouer pleinement et avec passion. Passez à l'action aujourd'hui afin de ne pas regretter demain tout ce que vous auriez aimé faire, ... sans jamais avoir fait les gestes et pris les mesures nécessaires pour l'accomplir.

Les occasions ne s'y prêtent pas toujours, mais j'estime que si vous prenez des notes ou soulignez des passages qui vous stimulent et vous apportent une bonne énergie, vous profiterez davantage de votre lecture. Ce type de bouquin devrait toujours être près de vous, afin de vous aider à persévérer dans la poursuite de vos objectifs et de vous rappeler qu'ils sont à votre portée.

Se percevoir comme nous le souhaiterions est le début de l'action en vue d'y arriver. Jiang Min, jeune femme d'affaires prolifique, est devenue à force de travail et de persévérance, une entrepreneure respectée à la tête d'une compagnie prospère en Chine. Elle compte aujourd'hui plusieurs centaines d'employés ! Quand vous lirez l'histoire de son combat acharné dans le but de réussir, vous comprendrez le pouvoir de la confiance en ses capacités et l'importance de la visualisation.

Sylvie Fréchette, pour sa part, se voyait déjà championne du monde avant même d'avoir participé aux Jeux olympiques. Visualisez ce que vous voulez devenir et passez à l'action dès aujourd'hui dans le but d'y parvenir.

Je souhaite que vous viviez votre vie aujourd'hui comme vous voudriez l'avoir vécue demain, autrement dit : qu'elle soit bien remplie. Franchissez le premier pas en lisant *Les Voies de la réussite*. Pour chacun d'entre vous, c'est l'action qui fera la différence entre la réussite et le désir de réussir !

Comme l'a dit André Gide : « Ne peut rien pour le bonheur d'autrui celui qui ne sait être heureux lui-même. »

DAVID LAROSE
Président du Bureau de Conférenciers OriZon

Jasmin Bergeron

Vous souhaitez vivre une expérience mémorable et enrichissante ? Offrez-vous un conférencier qui génère des WOW ! Offrez-vous Jasmin Bergeron ! Depuis plus de 10 ans, il a développé un concept percutant : le WOW ! Cette conférence dynamique et divertissante résume les meilleures stratégies reconnues pour provoquer des WOW. Elle a d'ailleurs permis à de nombreuses entreprises d'envergure d'obtenir des résultats significatifs et inattendus.

À ce jour, Jasmin Bergeron cumule plus de 1 000 conférences données dans plus de 12 pays à travers le monde. Jasmin est particulièrement doué pour créer rapidement un lien avec son auditoire. Son humour et l'interaction qu'il établit entre les participants en font un conférencier dont on se souvient longtemps. Passé maître dans l'art de faire participer les gens, ce conférencier utilise une panoplie de procédés pédagogiques gagnants qui génèrent des WOW chez tous les participants.

Détenteur d'un baccalauréat en marketing, d'une maîtrise en administration des affaires (MBA) et d'un doctorat en gestion, Jasmin Bergeron a également écrit 3 livres, mené 8 recherches scientifiques sur l'effet WOW, rédigé 12 études de cas sur les entreprises et les personnes qui provoquent des WOW et participé à plus de 50 articles dans les journaux tels que *La Presse* et *Les Affaires*. De plus, il est directeur d'un programme MBA exécutif et professeur de marketing à l'École des sciences de la gestion de l'UQÀM. Il a remporté plusieurs prix pour son enseignement à la fois pédagogique, humoristique et orienté vers la pratique. Son nom est désormais indissociable du concept WOW!

Jasmin Bergeron, un conférencier qui fait vivre des WOW à des personnes qui feront vivre des WOW à leur tour!

WOW!

Le WOW est un moment d'émerveillement que nous souhaitons tous vivre le plus souvent possible dans nos vies ! Je suis séduit par ce concept depuis déjà 10 ans. Pourquoi suis-je fasciné par un WOW ? Parce que j'admire les personnes et les organisations qui, souvent avec peu de budget, ont bâti des fortunes en générant des WOW ! Qu'ont-elles de différent ? Qu'ont-elles en commun ? Comment s'y prennent-elles pour se démarquer ? Et vous ? Aimeriez-vous créer encore plus de WOW chez les personnes qui vous entourent ?

Pourquoi l'effet WOW est-il si percutant ? C'est simple, à la fin d'une vie, on se souvient surtout (voire uniquement) des WOW que nous avons vécus ! Vous

vous rappelez sans doute de l'endroit où vous étiez le 31 décembre 1999 (au tournant du millénaire), mais je doute que vous vous souveniez de celui où vous vous trouviez les 31 décembre 2000, 2001 et 2002. Je parie que vous êtes capables de me raconter les souvenirs de votre premier amour ? Ou de me relater une circonstance dans laquelle vous avez ri aux éclats, à en pleurer (peut-être aussi de l'endroit et des personnes qui vous accompagnaient) ? Vous pourriez probablement me décrire le moment où vous avez obtenu votre permis de conduire. Vous pouvez sans doute nommer une entreprise qui vous a offert un excellent service ? Quant au meilleur spectacle que vous avez vu de votre vie, on se doute bien qu'il demeure à jamais gravé dans votre mémoire.

Qu'est-ce que ces souvenirs ont en commun ? Ils font appel à votre mémoire des événements et des individus WOW ! Les personnes et les organisations qui nous marquent sont uniquement celles qui sortent de l'ordinaire. Vous connaissez le Cirque du Soleil ? Bien sûr ! C'est une équipe WOW et on se souvient toujours des WOW !

Si vous voulez des choses que les autres n'ont pas, il faut faire des choses que les autres ne font pas. Un client ou un employé satisfait est souhaitable, mais un client ou un employé enchanté fera toute la différence et deviendra un porte-parole influent pour votre organisation et, surtout, pour vous ! C'est ici qu'un WOW prend toute sa valeur.

Si vous voulez des choses
que les autres n'ont pas,
il faut faire des choses
que les autres ne font pas!

En tant que professeur en marketing, je m'intéresse aux personnes et aux entreprises qui se démarquent de la masse et qui provoquent des WOW! En me basant sur plus de 1 000 conférences données dans plusieurs pays, sur une multitude d'observations, de lectures, d'études, de sondages et d'expériences mémorables, je tiens à partager avec vous certaines pratiques gagnantes pour créer des WOW.

1. L'importance de la *dernière* impression

Nos recherches révèlent que 75 % des WOW se produisent dans les dernières minutes d'un événement (12 % lors des premiers moments). Si vous voulez créer un WOW, l'accent doit surtout être mis sur la dernière impression, car c'est celle dont on se souvient le plus.

Avez-vous déjà remarqué que les meilleurs moments d'un spectacle de musique ou d'un feu d'artifice sont souvent à la fin? Qu'il s'agisse du Cirque du Soleil, des Rolling Stones ou de n'importe quel film à succès, les WOW surviennent le plus fréquemment à la toute fin d'un événement. Bref, contrairement au dicton populaire, vous n'aurez jamais une seconde chance de faire... *une bonne dernière impression*!

Ma suggestion est donc simple : « Finissez fort » ! Vous organisez une rencontre avec vos employés ? Finissez fort ! Vous avez un rendez-vous avec un client important ? Finissez fort ! Vous écrivez un hommage pour un collègue qui prend sa retraite ? Finissez fort ! Vous organisez un colloque annuel ? Finissez très très fort !

Dans mes conférences, je demande aux participants de lever la main s'ils ont déjà entendu parler de la première impression. Habituellement, je vois une salle comble de mains levées. Je demande ensuite aux mêmes personnes de lever la main si elles ont déjà entendu parler de la *dernière* impression. Une faible minorité de la salle lève la main. Après tout, qui s'est intéressé au concept de la dernière impression ? Ce qui est fascinant, c'est que pendant des années, des auteurs, des chercheurs et des conférenciers ont largement traité de l'importance de la première impression. Conséquemment, plusieurs d'entre nous s'efforcent de faire une bonne première impression, mais nous sous-estimons souvent l'importance des derniers moments.

Apprécieriez-vous un film qui commence très bien, qui est envoûtant par la suite, mais qui finit mal ? Quelle serait votre réaction en assistant à une rencontre sportive où votre équipe préférée commencerait la partie admirablement, s'essoufflerait un peu ensuite et terminerait la partie en essuyant une défaite ? Bien que la première impression soit importante, mon but est de vous convaincre qu'il n'y a rien de plus important que la *dernière* impression.

Évidemment, les moyens de terminer en beauté sont souvent particuliers à un type d'entreprise ou de situation. Lors de mes conférences, ce qui compte pour moi, c'est d'être en mesure de saisir toutes les occasions qui vous permettront d'effectuer une brillante dernière impression !

Pour faire un WOW, finissez fort !

2. Un WOW, c'est une question d'attentes

La meilleure façon de provoquer un WOW chez les gens qui vous entourent est d'abord de gérer leurs attentes. Êtes-vous déjà allé voir un film pour lequel on vous avait dit : « Tu vas voir, c'est le meilleur film de l'année » ? Comment était le film ? Probablement décevant. Pourquoi ? Parce que vos attentes étaient sans doute trop élevées.

Un des résultats marquants de nos recherches indique que la propension à exprimer des WOW dépend d'abord et avant tout d'une chose : nos attentes ! Vous connaissez peut-être le dicton : « Ce sont les petites choses qui font la différence ». En fait, ce sont les petites choses *inattendues* qui font la différence !

Prenons un exemple très simple. Avez-vous déjà dit à un client ou à un collègue : « Je te rappelle d'ici midi» ? Si vous le contactez à midi, il risque d'être content, sans plus. Toutefois, si vous aviez promis de le rappeler «avant la fin de la journée» et que vous le contactez à midi, il risque d'être beaucoup plus satisfait. Dans les deux cas, vous appelez à midi, mais son degré de satisfaction est différent. Tout dépend de la promesse qu'on lui a faite.

Les petites choses inattendues *font la différence !*

Pourquoi sommes-nous trop souvent déçus de la qualité du service dans les entreprises ? Ces dernières font fréquemment des promesses irréalistes. Des phrases comme «ça ne sera pas long», «on vous règle ça tout de suite» ou «pourriez-vous patienter en ligne quelques secondes ?» constituent un énorme irritant chez les consommateurs. Elles augmentent les attentes et, par le fait même, les déceptions ! Voilà pourquoi je crois que **seuls les engagements que vous avez la volonté et l'intention d'honorer ou même de SURPASSER doivent être pris.**

Avez-vous déjà constaté la pertinence de demander aux personnes importantes autour de vous (clients, employés, collègues, patrons, etc.) ce qu'elles attendent de vous ? Lorsque j'étais conseiller financier, je demandais à mes clients ce qu'ils attendaient de moi. Ils étaient déstabilisés ! Sans le vouloir, je créais chaque fois un WOW, car personne ne s'attendait à cette marque de considération. Les réponses des clients étaient non seulement différentes, mais aussi très pertinentes et utiles pour moi.

Certains clients désiraient qu'on se voie plus souvent, alors que d'autres voulaient connaître les nouveaux produits. Un client m'avait même dit qu'il souhaitait mieux comprendre la technologie (c'était une bonne idée, car il mettait des timbres sur ses enveloppes de guichet avant de les insérer dans le guichet automatique !). Il reste que ces informations allaient grandement modifier nos relations futures. **En connaissant les attentes des personnes autour de vous, vous serez mieux outillé pour facilement provoquer des WOW !**

Bien sûr, certaines personnes ont des attentes irréalistes, que même l'individu le mieux intentionné ne pourrait jamais combler. Le défi consiste donc non seulement à cerner précisément les attentes, mais aussi à remettre rapidement les pendules à l'heure, de manière constructive, lorsque ces attentes manquent de réalisme. Contrairement à ce que l'on pourrait craindre, une mise au point honnête et conviviale permet souvent d'accroître les WOW ! Les individus et les entreprises qui surprennent positivement les autres sont passés maîtres dans l'art de connaître et de gérer les attentes des personnes qui les entourent !

Pour créer facilement des WOW, baissez les attentes des gens.

Chez McDonald's, si le MacPoulet que vous commandez n'est pas prêt, vous pourriez patienter jusqu'à 4 minutes avant d'être servi. Même si le temps estimé est de 4 minutes, leur politique est de vous dire que ce sera prêt dans 5 minutes. Pourquoi ? Vous risquez d'être content en recevant votre commande en 4 minutes. Quelle aurait été votre réaction si on vous avait dit : « Ce ne sera pas long » ? Après 4 minutes, c'est long ! En d'autres mots, il s'agit du même temps de préparation, mais McDonald's baisse les attentes des clients afin que ceux-ci soient satisfaits. Cette entreprise a compris qu'un WOW dépend d'une chose : les attentes.

D'autres compagnies utilisent la même stratégie. La Banque HSBC promet maintenant à ses clients un délai de 48 heures pour traiter une demande de crédit. À l'interne, les normes sont de 24 heures. Résultat ? Les clients sont toujours contents quand on les appelle après 24 heures (lorsque la demande de crédit a été acceptée, bien sûr !).

Le même principe s'applique à vous. Êtes-vous parfois stressé au travail ? Qui se met le plus de pression sur les épaules ? Trop souvent, c'est nous-même et la raison est bien simple : on promet trop de choses ! Voulez-vous vivre 20 années de plus (et en santé) ?

Promettez moins et donnez plus. Vous avez habituellement tout intérêt à promettre un peu moins et à offrir plus que ce que vous avez promis. C'est vrai en affaires, en amitié et en amour (et à ce sujet, je vous laisse le loisir de trouver vos propres exemples... !).

Si vous êtes fleuriste et que votre client veut recevoir vos fleurs avant 14 h, dites au livreur d'arriver avant midi. De cette manière, même si le livreur est en retard de 20 minutes, vous aurez quand même comblé les attentes du client. Si vous travaillez chez un concessionnaire automobile, n'informez pas votre client que vous allez nettoyer sa voiture. Faites-le ! Vous maximisez vos chances de surprendre votre client. Les occasions sont illimitées. Tous les jours, vous pouvez trouver des moyens créatifs de promettre moins et d'offrir plus !

Pour faire un WOW,
promettez moins et donnez plus !

3. Un WOW, c'est une perception !

Vous arrive-t-il parfois de faire des choses extraordinaires pour vos clients (ou vos patrons), sans qu'ils ne s'en rendent compte ? Qu'est-ce que ça vaut ? Rien. Un WOW, c'est d'abord une question de perception. En conséquence, le message important est le suivant : subtilement, assurez-vous que les gens sachent tout ce que vous faites pour eux. **Dans le monde des WOW, la réalité n'existe pas. On gère des perceptions.**

Depuis des années, je pose la question suivante à plusieurs entreprises : « Qu'est-ce que vos clients achètent ? » J'entends alors toutes sortes de réponses comme « mon service », « mes produits de qualité » ou « mes prix ». Pourtant, ils font erreur. Les consommateurs n'achètent pas un service ni un produit ou un prix. Ils achètent leur *perception* du service, leur *perception* du produit ou leur *perception* du prix. C'est très différent. Après plus de 1 000 conférences et consultations dans différents types d'industries, j'ai remarqué que les personnes qui provoquent des WOW sont particulièrement douées dans l'art de gérer les perceptions des gens. Les individus qui connaissent du succès ne sont pas toujours ceux qui en font davantage, mais bien ceux qui s'assurent de donner la perception qu'ils en font davantage !

Subtilement, assurez-vous que les gens sachent tout ce que vous faites pour eux.

Prenons l'exemple d'un médecin. Si ce dernier révise votre dossier pendant 10 minutes avant de vous rencontrer et qu'il ne vous le mentionne pas, pourrez-vous le deviner ? Alors, qu'est-ce que ça vaut ? Rien ! Par contre, s'il vous accueille ainsi : « Bonjour, j'ai révisé votre dossier pendant 10 minutes et je suis content de vous voir », qu'est-ce que vous vous dites ? « *WOW !* » Pourtant, c'est le même service (réviser le dossier), mais dans le second exemple, le docteur mentionne à son patient qu'il lui a accordé une attention spéciale. Un WOW, c'est une question de perception!

Pensez-vous à des clients ou à des collègues après les heures de travail (je parle évidemment de pensées liées au travail!)? Si c'est constructif, mentionnez-le! Imaginez si votre comptable vous appelait pendant la période des impôts et vous disait: «Je suis heureux de vous parler. Je pensais à vous hier soir et je crois avoir trouvé une meilleure solution!» Que diriez-vous? «*WOW, il pense à moi même après les heures de travail!*»

Vous faites des choses extraordinaires pour vos clients? Assurez-vous qu'ils le perçoivent. Vous avez rendu service de manière exceptionnelle à un de vos collègues, mentionnez-le-lui subtilement. C'est une question de perception. Comment voulez-vous que les gens s'exclament «WOW!» s'ils n'ont jamais eu conscience de vos actions?

Afin de hausser les perceptions d'un WOW, certaines personnes demandent à leurs clients ou à leurs collègues s'ils sont satisfaits du service offert. Quand c'est très positif, elles vont même jusqu'à dire: «Merci… Je suis curieux, qu'est-ce que vous avez apprécié?» C'est une des stratégies les plus motivantes que j'ai observées, car toutes les personnes satisfaites vous complimenteront. De plus, si votre interlocuteur le verbalise, il sera sans doute plus enclin à le répéter à ses proches!

Racontez vos WOW : ils sont contagieux !

4. Intérêt + Enthousiasme = un WOW automatique !

Vous provoquerez plus de WOW en deux mois en vous intéressant sincèrement aux gens que vous pourriez le faire en deux ans en vous efforçant d'avoir l'air intéressant. Cette phrase adaptée du livre à succès *Comment se faire des amis,* de Dale Carnegie, a traversé brillamment toutes les générations depuis le début du 20e siècle. C'est un de mes livres préférés et le titre m'a toujours fait rire. Aimeriez-vous recevoir en cadeau un livre qui s'intitule ainsi ? Le simple fait de passer à la caisse de la librairie peut être gênant ! Il reste que cet excellent ouvrage m'a fait prendre conscience de l'importance primordiale de s'intéresser aux autres. À tel point que je le recommande aux élèves quand je fais du bénévolat dans les écoles primaires et secondaires.

Quel est le sujet de conversation préféré d'un être humain ? Lui-même. Lorsqu'on regarde une photo de groupe dont nous faisons partie, qui regarde-t-on en premier ? Nous-même. Dans un de nos projets de recherche, nous avons réalisé une étude pour découvrir le mot le plus utilisé au téléphone. Le mot le plus fréquemment employé était « JE », dont on se sert huit fois plus souvent que « TU ». **De tous les moyens utilisés pour provoquer des WOW chez les humains, le fait de les valoriser constitue certainement un des plus importants !**

Vous provoquerez plus de WOW en deux mois
en vous intéressant sincèrement aux gens
que vous pourriez le faire en deux ans
en vous efforçant d'avoir l'air intéressant.

Le pouvoir de l'écoute est particulièrement vrai dans le monde de la vente. Je viens de faire l'acquisition d'une maison et, après chacune de mes visites avec des agents différents, j'étais consterné par leur volonté de se montrer intéressants. On m'a trop souvent vanté les mérites d'un grand terrain, des couleurs à la mode, des nombreuses armoires de cuisine, etc. Pourtant, j'étais totalement indifférent à ces caractéristiques. Il aurait été tellement plus simple de s'intéresser à moi. Ce qui m'importait le plus, c'était d'habiter un quartier familial sécuritaire pour le bien de ma magnifique petite fille.

Pour créer un WOW, soyez intéressé plutôt qu'intéressant. Trop de gens tombent dans le piège de chercher à tout prix à impressionner. Quand on parle, on plaît parfois. Quand on écoute, on plaît toujours ! Surtout quand on le fait avec enthousiasme.

Les gens passionnés provoquent un WOW,
c'est assuré !

Après avoir passé 10 ans à étudier les WOW, il n'y a qu'une vérité qui s'applique pratiquement à toutes les situations : les gens enthousiastes et passionnés sont ceux qui provoquent le plus de WOW, et de loin ! Nous sommes attirés par les gens qui ont du plaisir. Que vous soyez caissier, musicien, infirmière, ébéniste, médecin ou conférencier, les gens passionnés provoquent des WOW !

Observez la physiothérapeute éblouie devant un patient qui fait ses premiers pas, l'artiste devant sa toile, le jardinier accroupi dans ses plates-bandes qui joue avec ses fleurs, le mathématicien qui s'émerveille à la vue d'un problème à résoudre ou les étoiles dans les yeux du pêcheur qui quitte le quai. WOW !

Rien d'extraordinaire n'a été accompli sans enthousiasme !

La beauté de l'enthousiasme, c'est qu'il est contagieux. Si vous voulez répandre des WOW, il suffit de transmettre cet enthousiasme. Désobéissez aux formalités, déstabilisez vos interlocuteurs et surprenez-les ! Par exemple :

- « Comment ça va ? » – *« FANTASTIQUE ! Ça va vraiment bien ! »*
- « Vous êtes marié ? » – *« OUI ! Avec la femme la plus extraordinaire du monde ! »*
- « Que faites-vous dans la vie ? » – *« Je suis conférencier et j'adore ça ! ! ! »*

Quand vous débordez d'enthousiasme et de passion, vous créez des WOW, vous devenez un aimant et les autres sont inévitablement attirés par vous.

C'est facile de transmettre l'enthousiasme, car il est très contagieux !

Pour terminer, je tiens à vous dire que ce fut un plaisir pour moi d'écrire ce texte et je souhaite sincèrement que vous ayez trouvé quelques idées intéressantes pour multiplier les WOW autour de vous. Nous pouvons tous facilement partager ce sentiment d'émerveillement avec nos clients, nos collègues, nos employés, notre famille et nos amis. Un jour, j'espère que nous aurons le plaisir de vivre et surtout de faire vivre des WOW ensemble !

Hugo Dubé

Il caresse toute sa jeunesse le rêve de devenir un archéologue, mais sa passion pour les mots et les émotions humaines le poussent plutôt vers l'art dramatique. Acteur professionnel depuis 20 ans, il a tourné dans plus de 22 messages publicitaires et interprété plus de 75 rôles principaux.

On l'a vu au cinéma dans *Octobre* (drame de Pierre Falardeau, 1994), rôle du Gros pour lequel on lui a décerné le prix Guy-L'Écuyer, une distinction du

Rendez-vous du cinéma québécois, *La Forteresse suspendue* (comédie dramatique de Roger Cantin, 2001) et *Monica la mitraille* (long métrage de Pierre Houle, 2003) ; à la télévision aussi, notamment dans les téléromans *Ramdam* (2001-2008) et *Providence* (2004-2008) qui lui a valu 5 nominations aux Gémeaux comme interprétation du meilleur premier rôle masculin de téléroman (2005-2008) ; et, bien sûr, au théâtre dans le drame *Hamlet, prince de Danemark* et dans *24 poses*).

Depuis son premier voyage en Europe en 1984, une question le préoccupe pour ne pas dire l'obsède. « *Pourquoi en Amérique, terre de mille et une promesses, tant de gens choisissent-ils de subir leur vie au lieu de la construire ?* » Pour Hugo, chaque être humain est un scénario vivant, une histoire aux mille et une promesses qui n'attend que vous pour se faire raconter…

Action ! Soyez l'acteur de votre vie !

« Le plus tragique avec la vie, ce n'est pas tant qu'elle se termine trop vite ; c'est que nous mettions si longtemps avant de commencer à la vivre. »

RICHARD L. EVANS

J'ai toujours été obsédé par la question suivante : « Pourquoi tant de gens choisissent-ils de subir leur vie au lieu de la construire ? » J'ai voulu partager avec vous cette douce obsession.

Pour moi, chaque être humain est un scénario vivant. Nous sommes l'auteur, le producteur, le réalisateur et l'acteur de notre histoire personnelle. Si vous n'êtes pas en train d'écrire votre œuvre, une autre personne le fait à votre place. Elle va la rédiger à sa manière, à son avantage, et souvent elle vous confiera le second rôle de votre propre film.

Les grandes lignes d'un scénario enflammé

Je veux que votre histoire soit belle, que vous ayez du plaisir à jouer votre scénario. Non seulement je nous considère comme les éléments vivants d'un scénario en constante progression, mais je nous compare aussi à des poêles à gaz. Un poêle à gaz est composé d'une bonbonne, de manettes et d'éléments de cuisson. Ce qui m'intéresse surtout dans le poêle à gaz, c'est le « pilote », la lampe témoin ou l'indicateur lumineux : cette petite flamme bleue que certains appellent l'âme, l'énergie cosmique ou le tchi (qi), l'énergie vitale ou universelle, et d'autres, le *will power*. Cette flamme bleue est l'étincelle au fond du regard de chaque être, qui le rend si beau et attachant.

Il est dangereux, voire nocif, que notre « pilote » s'éteigne, parce qu'on peut facilement s'asphyxier avec le gaz de nos mauvaises pensées. Je me donne la mission d'être « un allumeur de réverbères », c'est-à-dire de réveiller, stimuler et rallumer votre voyant lumineux intérieur. Ce dernier subit beaucoup de pression, puisque nous vivons dans une société d'urgence. Tout ce qui nous ralentit nous enrage.

Au travail, tout ce qui devait être fait aujourd'hui doit l'être, maintenant, pour hier. La crainte d'être dépassé par la concurrence nous contraint à négliger les moments de répit jusqu'à ce qu'un bouleversement professionnel, personnel, spirituel, physique ou mental nous y oblige.

Tout n'est qu'équilibre

L'objet de plainte n° 1 des Occidentaux, c'est le manque de temps dans toutes les sphères de la vie. Nous vivons une perpétuelle course contre la montre. Celle-ci nous empêche de rééquilibrer nos patrimoines émotifs.

Qu'est-ce que le patrimoine émotif? Je lui connais trois dimensions: professionnelle, publique et privée. Le patrimoine émotif professionnel, c'est l'habit qu'on porte, le rôle qu'on joue dans la vie publique; le privé se veut notre rôle plus intime, dans le milieu familial, amical ou amoureux; quant à la dimension personnelle de notre patrimoine émotif, elle coïncide avec les périodes sans rôle, face à soi-même, en caleçon ou en petite culotte le matin, planté devant le miroir, à aimer ou détester l'image qu'on projette.

En vous regardant dans la glace, posez-vous les questions suivantes: « *Qui êtes-vous? Que voulez-vous faire de votre scénario? Ou plutôt qu'elle est votre mission dans ce court passage terrien?* » Une des questions qui revient souvent a trait au travail, parce qu'il occupe la moitié de notre temps : « Est-ce pour vous la prison ou la liberté ? »

J'estime que la motivation à se présenter au travail repose sur trois principes essentiels. D'abord l'humain est un rouage qui fait partie d'un ensemble. D'où l'importance de *la sociabilité*, de notre utilité en milieu de travail et au sein de notre groupe d'intimes. Le deuxième élément en jeu est l'*adaptabilité* : nous sommes dans une ère rapide de grands changements. Les individus qui parviendront à développer leurs habiletés d'adaptation, auront plus de chances d'écrire un scénario plus satisfaisant. Pour arriver à s'adapter, il faut une *méthode de travail*. La vôtre est-elle simple et efficace ou, au contraire, complexe et ardue ? Plus elle est efficace, plus vous disposerez de temps pour rééquilibrer vos patrimoines émotifs. C'était le troisième point.

Lorsque la sociabilité, l'adaptabilité et la méthode de travail sont au rendez-vous, le groupe auquel on appartient nous fait confiance et nous alloue plus d'autonomie. Ce même groupe nous offre les clés donnant accès à plus d'information et à une meilleure connaissance des règles de notre milieu d'appartenance. Avec ces renseignements et ce nouveau savoir, naît la possibilité de créer, d'innover et d'imaginer un meilleur scénario. Songeons au jeune Mozart qui était un virtuose du piano, et qui est devenu un génie de la composition le jour où il a compris les règles musicales.

Avec la confiance du groupe et l'accessibilité à l'information, s'ajoute l'association. Tout naturellement, vous serez attiré par les gens qui partagent votre quête. L'association est la pierre angulaire d'écriture d'un scénario stimulant. Regardons autour de nous : René Angélil avec Céline Dion, le tandem Guy Laliberté et Daniel Gauthier, cofondateur du Cirque du Soleil, le duo Paul Allen et Bill Gates au sein de Microsoft. Bref, dites-moi qui vous fréquentez et je vous dirai si vous avez envie d'écrire un scénario gagnant ou le contraire.

Agir ou subir

Ceci m'incite à souligner qu'il existe deux groupes d'acteurs, d'actrices. Ceux qui font leur vie et ceux qui la subissent. Le premier groupe, je les appelle : « c't'à cause de ». Les « c't'à cause de » accusent les autres : « C't'à cause de mon père, de ma mère, de la société, du gouvernement, de mon patron... »

Ce type d'individu est convaincu qu'il arrivera à un résultat différent par un comportement répétitif. Voici son slogan préféré : « C'est pas ma faute, qu'est-ce que tu voulais que je fasse ? » À force d'accuser les autres, on devient un geignard, un pleurnicheur professionnel, un « t'as mal où ? » du ton plaintif.

Ce genre d'individu ressasse constamment ses problèmes, ses bobos, ses malheurs avec son slogan : « Ah ! misère… Ah ! malheur… » À force d'accuser les autres ou l'univers et de se plaindre, il éloigne la majorité des gens : on essaie de l'éviter, ce qui le rend amer et a le don d'en faire un « m'as t'é… », c'est-à-dire « m'as t'écœurer », « m'as t'mettre les bâtons d'ins roues », « m'as t'péter la *balloune* »…

Et il y a l'autre groupe, que je laisse approcher de mon scénario : ce sont les « *do it* ». Les « *do it* » passent à l'action. Comment ? En s'intéressant réellement aux gens, en leur posant des questions pour avoir accès à l'information et mieux connaître les règles, et surtout en écoutant sincèrement les réponses. Ils ont vite compris que pour améliorer leur histoire, ils doivent aider à élever celle des autres.

Nous avons le choix

Il est probable que les « *do it* » utilisent un pouvoir extraordinaire : celui de choisir. L'être humain est la seule espèce à pouvoir bénéficier d'options, de choix d'un ordre si complexe. Nous sommes à l'ère du paradoxe des choix. Les choix sont si multiples qu'il devient difficile de s'y retrouver. C'est pour cette raison que l'on doit constamment s'entraîner à bien choisir. Plusieurs ont oublié cet outil merveilleux et, par le fait même, en ont perdu le sens de leur vie.

Devant l'ampleur des obligations à remplir, plusieurs se disent : « *Je n'ai pas le choix d'aller travailler* » et, chaque matin, au sortir du lit, ces gens enclenchent le pilote automatique où se mélange un étrange rituel : pipi, café, journaux – avec l'idée que ce nouveau jour en est un d'obligations. « Je dois aller travailler », « il faut que je rencontre des clients », « je dois aller chercher mon fils à sa pratique sportive », « j'ai à [...] ; il faut que [...] ; je dois [...] ».

Ceci nous entraîne dans une spirale de perte de motivation, de fatigue, de vide jusqu'au prochain bouleversement. Pourquoi un nouveau bouleversement ? Parce que la vie cherche à nous réveiller, à nous rappeler l'importance de savourer son scénario.

Est-il possible d'écrire un scénario stimulant, intéressant sans continuellement passer par ces bouleversements ? Oui, à la condition de s'entraîner à court-circuiter son pilote automatique. C'est-à-dire à casser les modèles de référence, les « patterns », comme on dit, le *modus operandi* de nos habitudes. Comment ? Grâce au saut du lit.

Avant de vous en révéler davantage sur le saut du lit, j'insiste sur deux éléments importants. Le premier, c'est qu'une bonne nuit de sommeil s'impose. Le fait de bien dormir permet à notre organisme d'optimiser notre système immunitaire et de classifier tous les stimuli reçus au cours d'une journée. Nous en recevons autant en 24 heures que nos arrière-grands-parents dans toute leur vie.

Selon le Dr Lawrence J. Epstein, spécialiste du sommeil à Harvard, depuis les années 50, la durée moyenne de sommeil est passée de 8 à 7 heures par nuit. Les Occidentaux ont la conviction que la santé passe par le mouvement : plus on agit sur notre environnement, horaire surchargé, temps libres occupés, plus on se prouve qu'on est en santé.

Deuxièmement, il faut mettre un peu d'humour dans notre vie. La société d'urgence nous a rendus très sérieux, nous plongeant entre le harcèlement sexuel ou psychologique, les accommodements raisonnables et la multitude de menaces véhiculées par les médias : SRAS ou syndrome respiratoire aigu grave, virus du Nil occidental, l'invasion des algues bleues, la vache folle, la crise des salles d'urgence – et la liste pourrait s'allonger sur plusieurs pages si nous habitions un pays en proie aux bouleversements de la terre : tsunamis, volcans, ouragans et tornades, sans oublier les maux et maladies endémiques.

Le jogging de l'âme

Il n'est guère étonnant qu'on ait oublié de rire – surtout si on lit trop les journaux qui rapportent les mauvais coups de toutes sortes. On revit alors émotionnellement le triste sort des autres, et notre impuissance à les aider. Dans les années 20, on riait en moyenne 20 minutes par jour alors qu'aujourd'hui, on rit à peine de 2 à 4 minutes par jour.

Le rire est le jogging de l'âme. Lorsqu'on rit, on fait entrer plus d'air dans nos poumons, ce qui nous procure une meilleure oxygénation du système cellulaire. En effet, le cerveau sécrète alors plus d'endorphines, de sérotonine et de dopamine : des drogues naturelles du bonheur, du bien-être et de la récompense.

Lorsqu'on rit, on fait travailler nos abdominaux comme avec des redressements assis ; alors, plus on rit, plus on garde sa taille de guêpe. Plus on rit, plus les muscles du visage travaillent, comme si on avait un mini-remodelage quotidien, par conséquent moins besoin de Botox, ou de collagène, pour garder cet éclat de jeunesse dans votre visage. Meilleure digestion, meilleur sommeil : que de bénéfices le rire nous apporte !

Il faut retrouver le goût de se surprendre, de s'émerveiller au moins une fois par jour. Vous trouvez que les voitures circulent trop vite dans votre rue, assoyez-vous dans votre véhicule au coin de la rue, vêtu d'une casquette et affublé de verres fumés noirs ; à l'aide d'un séchoir à cheveux, pointez les véhicules venant en sens inverse, pour les voir automatiquement ralentir.

Maintenant que vous avez le goût de rire dans votre vie, revenons au saut du lit. Pour briser la routine, rompre les schémas habituels ou court-circuiter son pilote automatique, on doit chaque matin sortir de son lit d'une façon différente. Sans blague !

Varier en beauté

Il suffit de varier en beauté : le pied droit qui touche le sol en premier, le grand écart à la Elvis Presley quand on se sent en forme, ou on se laisse choir tranquillement sur le plancher, un bon matin, enroulé dans les couvertures. Au lieu de penser : *« J'ai à... Il faut que... Je dois... »*, vous vous dites : *« Je veux et je choisis. »*

Premièrement, prenons 10 secondes pour rendre grâce ou remercier parce qu'on dispose de 86 400 secondes en cette nouvelle journée. Demandez-vous le genre de journée que vous aimeriez vivre : ordinaire ou merveilleuse ? Fusionnez avec le merveilleux, acceptez-le et savourez les grands bienfaits que la vie a à offrir. Participez à ce monde d'opulence.

On n'a qu'à penser aux routes, aux écoles, aux services à notre disposition, à tout ce qui nous entoure et nous sécurise. L'univers attend une seule chose, ô combien précieuse : qu'on réalise enfin ses rêves. (Il y a tant de merveilleux dans l'univers que peuvent en contenir tous vos rêves – *Extrait du film La Marche des empereurs*).

Choisir d'être la pièce maîtresse d'une journée agréable. Ne pas attendre l'influence extérieure pour passer à l'action.

Quatre principes de liberté

Je préconise quatre principes essentiels[1] :

1. Faire de son mieux
2. Utiliser la puissance des mots pour répandre le bien
3. Ne pas faire de supposition ou de faux scénarios
4. Accueillir les commentaires personnels sans susceptibilité

Une fois le processus enclenché, on risque tout au plus d'offrir son talent et ses compétences pour donner un meilleur service. La plupart des gens qui réussissent à écrire un scénario agréable, stimulant, en font toujours un peu plus que la moyenne. Il faut trouver le bon rythme pour ne pas s'essouffler. N'oublions jamais que la vie est un marathon, pas un sprint.

1. Don Miguel Ruiz (1999). *Les Quatre Accords toltèques. La Voie de la liberté personnelle*, Saint-Julien-en-Genevoix, Éd. Jouvence, coll. « Cercle de Vie », 128 p., et offert aux éditions Un monde différent sous format de disque compact.

Il faut aussi accepter que des jours soient plus difficiles, mais on doit s'entraîner chaque jour à grandir et à s'améliorer, pour toucher le plus souvent possible au bonheur quotidien. Et pour y parvenir on doit se surprendre, s'émerveiller et déverrouiller sa créativité en lui donnant libre cours. Pour aller dans un monde créatif, on doit chercher de nouvelles routes, parler avec de nouvelles personnes, essayer de nouveaux mets, voir d'autres genres de films, etc.

Notre cerveau aime les surprises. Un cerveau qui ne sert pas s'use (*If you don't use it, you lose it.*) Ce principe s'appelle la neuroplasticité. Plus vous allez vous surprendre, vous adapter, plus les cellules du cerveau, les neuroconnexions, vont se régénérer.

Il existe un curieux rapport avec la création et l'innovation. La majorité des entreprises veulent des employés innovateurs, mais en même temps la créativité dérange. Être créatif est un acte rebelle. On ne fait pas comme les autres. Souvent l'individu créatif subit la pression du groupe pour entrer dans le moule, suivre la norme, et jour après jour, perdre son désir d'innover. À force de subir les bris d'initiative, on perd son désir de créer.

Mes étapes de création

Il existe trois étapes à la création :

1) On rit de vous ;

2) On vous agresse verbalement ou physiquement ; et

3) On finit par dire que vous avez raison.

Les deux premières raisons sont tellement puissantes qu'elles provoquent la peur de l'échec ou de la réussite et freinent l'ardeur des gens désireux d'écrire un scénario satisfaisant. Puis s'ajoute la crainte du rejet par le groupe, parce qu'après le désir sexuel chez l'humain, vient le désir de protéger son amour-propre. On ne veut pas être rejeté, critiqué ou pris en défaut ; donc, on s'installe dans une zone de confort jusqu'au prochain bouleversement.

Tous les humains fonctionnent de la même façon sans exception : douleur et plaisir. La plupart des gens construisent leur scénario pour éviter la douleur au lieu d'aller vers le plaisir. Combien fuient la responsabilité de leur scénario ! En effet, ils se réservent le droit d'accuser les autres : la société, la famille, la compétition, etc. L'état de victime donne l'agréable impression d'avoir plus d'attention et de pouvoir. On a le réflexe de saboter sa réussite, évitant ainsi de prendre la responsabilité de son scénario. Trop souvent, ces individus ne veulent pas vraiment trouver de solutions à leurs problèmes, mais plutôt l'attention que leur procure leur situation problématique.

Le jour où l'on accepte d'être responsable en majeure partie de sa situation, il devient plus facile de reprendre le crayon pour écrire sa propre histoire. On se détache plus facilement des gens négatifs, évitant ainsi cette énergie gaspillée, que nous sucent les vampires (d'énergie !). On se renseigne sans se noyer dans l'information.

J'ai parlé beaucoup du « je, me, moi », mais pour que notre scénario puisse fleurir, il doit être absolument semé dans le terreau du « nous », puisque nous sommes tous interconnectés. La santé mentale, comme la santé physique, doit se maintenir et se bâtir jour après jour en combattant le vertige par l'équilibre de sa vie personnelle, professionnelle et spirituelle. On ne peut obtenir le succès dans son scénario que si l'on est prêt à le recevoir.

Vivez ici maintenant. Passez à l'action. Soyez les acteurs, les actrices de votre scénario. Le meilleur reste à venir ! La créativité a quatre lettres : VOUS !

Des livres que j'ai aimés :

- ANDRÉ, Christophe. *Vivre heureux. Psychologie du bonheur*, Paris, Odile Jacob, 2004, 352 p.
- ARNTZ, William, Betsy CHASSE et Mark VICENTE. *Que sait-on vraiment de la réalité ? Découvrir les possibilités infinies de transformer sa réalité de tous les jours,* Montréal, Éditions Ariane, 2007, 274 p.
- BLOOM, Howard. *Le Principe de Lucifer. Une expédition scientifique dans les forces de l'Histoire*, Paris, Le jardin des Livres, 2001, 463 p.
- CARNEGIE, Dale. *Comment se faire des amis*, Paris, Hachette, coll. « Le Livre de Poche », n° 508, 1990, 318 p.
- DYER, Wayne W. *Le Pouvoir de l'intention. Apprendre à cocréer le monde à votre façon,* Varennes, AdA, 2004, 330 p. (2 CD livres audio).
- HILL, Napoleon. *Devenez riche*, Montréal, Éd. de l'Homme, 1995, 320 p.
- HONORÉ, Carl. *Éloge de la lenteur. Et si vous ralentissiez ?*, Éd. Marabout, coll. « Vie Quotidienne », 2005, 287 p.
- PEASE, Allan, et Barbara PEASE. *Pourquoi les hommes n'écoutent jamais rien et les femmes ne savent pas lire les cartes routières*, Paris, Éditions Générales First,

1999, 440 p.

- PILZER, Paul Zane. *La Révolution du mieux-être,* Gatineau, Éditions du Trésor Caché, 2004, 246 p.

- RAPAILLE, Clotaire. *Culture Codes. Comment déchiffrer* les rites de la vie quotidenne à travers le monde. Paris, Éditions JC Lattès, 2008, 300 p.

- ROBBINS, Anthony. *L'Éveil de votre puissance intérieure*, Genève et Montréal, Edi-Inter S.A. et Le Jour, 1993, 566 p.

- RUIZ, Don Miguel. *Les Quatre Accords toltèques. La voie de la liberté personnelle*, Saint-Julien-en-Genevoix, Éd. Jouvence, coll. « Le Cercle de Vie », 2000, 128 p. et disque compact d'un condensé du livre aux éditions Un monde différent.

- ZELINSKI, Ernie J. *Réussir quand on est paresseux*, Paris, Éd. Eyrolles, 2003, 280 p.

Isabelle Fontaine

Isabelle Fontaine détient un baccalauréat en psychosociologie de la communication et une maîtrise en communication organisationnelle. Elle a développé une expertise en *coaching* de gestion, basée sur le développement de l'intelligence émotionnelle. Sa spécialité : faire émerger le meilleur de chacun pour lui permettre de se déployer et de se surpasser.

Dans une ancienne vie, elle a été chasseur de têtes pendant six ans. Cette expérience lui sert alors de vigie.

À force d'observer différentes pratiques de travail, elle devient fascinée par les ingrédients du succès, de la performance et du bonheur au travail.

Elle agit maintenant comme conférencière, *coach* et consultante en développement organisationnel dans sa pratique privée en plus d'enseigner à l'École Polytechnique de Montréal et au Département de communication sociale et publique de l'UQÀM.

L'intelligence émotionnelle

Plusieurs études universitaires l'ont maintenant prouvé, ce n'est pas le quotient « intellectuel » d'un individu qui assure sa réussite dans la vie, mais plutôt son quotient « émotionnel[1] ».

Certains chercheurs affirment que 80 % du succès d'une personne repose sur des aptitudes liées à l'intelligence émotionnelle, soit l'aptitude à : déterminer

1. Ayant travaillé en recrutement pendant six ans, j'ai observé les gros noms de l'industrie, les individus que les entreprises s'arrachaient. Ils avaient effectivement des talents relationnels distinctifs et un fort quotient émotionnel, bien supérieur à la moyenne des gens de leur domaine.

son état émotionnel et celui des autres ; comprendre le déroulement des émotions (leur mécanique) ; raisonner sur ses propres émotions et celles des autres ; gérer ses émotions... et même celles des autres[2] ! C'est beaucoup plus facile à lire... qu'à faire, n'est-ce pas ?

Prenez le temps d'observer le meilleur représentant de votre entreprise, le meilleur gestionnaire, le meilleur conseiller, le meilleur agent au service à la clientèle... Qu'est-ce qui explique leur réussite ? Qu'est-ce qui les distingue des autres ? Leurs aptitudes à créer en eux-mêmes et chez autrui des émotions positives (confiance, enthousiasme, plaisir, motivation, etc.) n'expliquent-elles pas leur performance ?

Ces virtuoses ont une habileté à jouer avec les émotions, autant les leurs que celles des autres. C'est eux, pas les émotions, qui tiennent les commandes. En autant que ce soit des émotions agréables qui nous submergent, nous sommes bien chanceux. Mais si, à certains moments, c'est au tour des émotions désagréables de prendre le contrôle, il devient difficile de se ramener du bon côté de la balance.

Et vous ? Comment vous y prenez-vous pour gérer le mépris que vous éprouvez envers un important client,

---

2. John D. Mayer, Peter Salovey et David R. Caruso. « Models of Emotional Intelligence », dans Robert J. Sternberg, (dir.), *Handbook of Intelligence*, Cambridge (RU), Cambridge University Press, 2000, pp. 396-420.

par exemple ? Comment calmez-vous l'anxiété ou même l'angoisse créée par le fait de devoir prononcer un discours public ? Comment gérez-vous vos élans de colère, de déprime ou de cynisme ? Selon l'intensité des émotions désagréables, nous pouvons facilement tomber en « déficit cognitif » et perdre notre faculté de raisonner avec intelligence. Alors, notre état émotionnel nous affaiblit, réduit notre performance et nous fait même adopter des comportements stupides… qu'on regrette amèrement, une fois le calme revenu. Comment éviter ces maladresses ?

Autrement, nous avons tous connu ces journées où nous étions en forme, pleins d'énergie, confiants et inébranlables. C'est difficile pour nos clients (ou n'importe qui) de résister à notre charme et à nos arguments lors de ces moments magiques, n'est-ce pas ? Alors la question se pose : comment créer consciemment des états intérieurs positifs ?

En fait, nous avons la possibilité d'utiliser la programmation de notre cerveau émotionnel et de la déjouer au moyen de ruses toutes simples. Par exemple, nous pouvons sortir d'un état de fatigue et de déprime en quelques minutes. Nous pouvons nous mettre à apprécier sincèrement une personne que nous méprisons depuis des années. Nous pouvons nous pousser à avoir hâte de rencontrer ce manipulateur exécrable que nous fuyons depuis toujours. Notre pire client peut devenir le meilleur. Des stratagèmes existent…

Une métaphore intéressante...

Vous souvenez-vous de la fable amérindienne du bon loup et du mauvais loup présents en chaque homme ? C'est l'histoire d'un jeune garçon qui accourt vers son grand-père – un homme, à ses yeux, plein de sérénité et de sagesse – pour lui raconter son malheur.

Dévoré par la colère et porté par l'intensité de ses émotions, le jeune garçon raconte à son grand-père l'injustice dont il a été victime. Ce dernier le surprend en lui disant :

« Il m'arrive, à moi aussi, de ressentir de la haine contre ceux qui se conduisent mal et n'éprouvent aucun regret. »

À cet instant, le jeune homme reste bouche bée, étonné d'apprendre que son grand-père lui-même puisse éprouver de telles émotions. Aussi l'écouta-t-il avec attention :

« Sache toutefois, mon garçon, que la haine t'épuise et ne blesse pas ton ennemi. C'est comme si tu avalais du poison en espérant que ce soit l'autre qui en meurt. J'ai souvent combattu ces sentiments.

« Comme chaque homme, j'ai aussi deux loups qui hurlent à l'intérieur de moi. Le premier est rempli de colère, de haine, de rancune et essentiellement de vengeance. Le second l'est d'amour, de bonté, de compréhension et de compassion. Il est parfois si difficile de vivre avec ces deux loups à l'intérieur de moi, car ils se battent pour savoir lequel réussira à dominer mon esprit. »

Inquiet et fasciné, le jeune garçon demande :

« Oui, mais grand-papa, lequel des deux loups va gagner ? »

Le grand-père sourit et répond doucement :

« Celui que je nourris, mon chéri. »

Le mauvais loup (pouvant aussi prendre en nous la forme de l'anxiété, de la colère, du désintérêt, de l'ingratitude, du cynisme, etc.) est bel et bien présent à l'état latent à l'intérieur de chacun de nous. Il ne sert à rien de nier sa présence ni de vouloir le tuer, car ce à quoi on résiste persiste. C'est comme si je vous demandais de ne pas penser à un éléphant bleu. Résistez et ne pensez surtout pas à l'éléphant bleu ! Il serait plus facile pour vous d'y arriver si je vous demandais de penser à un singe rose, car il remplace l'éléphant bleu comme centre d'intérêt, donc il s'immisce dans votre esprit à sa place… et fait oublier. Il en va de même des émotions : comment s'arranger pour que le singe rose prenne toute la place ?

Une solution serait de développer des astuces visant à nourrir le bon loup en soi, à le renforcer, lui. S'il est puissant et entraîné, il gagnera la bataille lorsque la vie nous mettra à l'épreuve, car le mauvais loup, n'ayant pas été nourri, sera faible et affamé.

Le cerveau logique et le cerveau émotionnel

Il y a différentes structures dans notre cerveau qui remplissent des fonctions précises. De façon sommaire, il y a le néocortex, la partie du cerveau avec laquelle on raisonne, on réfléchit. On y accède par le langage, la pensée.

L'autre partie, les structures limbiques du cerveau, aussi appelée cerveau émotionnel, se charge des émotions et des réactions de survie. Nos accès à cette partie du cerveau sont différents. On n'y accède malheureusement pas par le langage et le raisonnement. C'est pourquoi il faut connaître ses propres manœuvres afin de pouvoir le déjouer.

Avez-vous déjà vu une personne faire une crise de panique ? Vous avez beau essayer de la convaincre que l'avion est sécuritaire ou l'ascenseur moderne, son cerveau émotionnel a pris le contrôle et il a le pouvoir de débrancher le cerveau logique lorsque l'émotion est très intense. Il lui devient presque impossible de raisonner.

Alors, comment avoir accès au cerveau émotionnel afin qu'il génère les émotions désirées ? Il est fort utile de savoir que nous communiquons avec lui par des méthodes qui passent surtout par le corps[3], par notre physiologie, par nos cinq sens (odorat, toucher, ouïe, vue, goût), par l'évocation de souvenirs chargés émotionnellement, par des expériences qui stimulent une émotion, etc.

Le circuit neurologique d'une émotion

Saviez-vous que chaque émotion suit un circuit neurologique bien défini dans le cerveau ? Et que plus on vit une émotion souvent, plus on renforce son circuit et on y parvient rapidement ? Prenons un exemple : connaissez-vous quelqu'un qui, peu importe ce qui lui arrive de bien dans la vie, va trouver un moyen de se plaindre et d'être frustré ? Ou un autre qui sera toujours épuisé et abattu ?

Nous sommes accros à certaines émotions négatives et nous avons créé des autoroutes neurologiques à quatre voies pour y accéder… Toutefois, bonne nouvelle, les dés ne sont pas lancés une fois pour toutes !

---

3. Ce processus est décrit en profondeur dans David SERVAN-SCHREIBER. *Guérir le stress, l'anxiété et la dépression sans médicaments ni psychanalyse*, Paris, Éditions Robert Laffont, 2003, 301 p. Un livre à lire !

En vertu du principe de plasticité cérébrale[4], nous pouvons dévier ces circuits neurologiques désagréables auxquels nous nous sommes habitués. Nous pouvons changer de tempérament si nous avons la discipline de choisir des exercices particuliers à accomplir afin de ressentir intensément certains sentiments positifs plusieurs fois par jour.

Alors comment nourrir le bon loup ?

Comment renforcer les circuits neurologiques positifs ? Selon les chercheurs, ressentir la gratitude serait une des stratégies les plus efficaces pour contrer l'invasion d'émotions négatives. Non seulement elle agit comme un antidote puissant, mais elle est aussi accessible plus facilement que d'autres émotions, ou sentiments, agréables. On peut toujours trouver quelque chose à apprécier. La stratégie de base consiste à ressentir intensément la gratitude 30 minutes par jour.

4. La plasticité neuronale, c'est l'aptitude du cerveau à se remodeler selon l'expérience vécue. Pour en savoir plus, lire le chapitre 14, « Cerveau changeant », du livre de Daniel Goleman. *Surmonter les émotions destructrices. Un dialogue avec le dalaï-lama,* Paris, Pocket, coll. « Évolution », 2008, 704 p.

La gratitude

Mais qu'entendons-nous par gratitude ? C'est simplement l'inverse de l'ingratitude – l'inverse de tenir pour acquis. C'est apprécier, savourer, reconnaître notre chance vis-à-vis de quelque chose ou par rapport à quelqu'un dans notre vie. Notre esprit est orienté de façon à plonger dans l'expérience de l'appréciation.

Certaines personnes me disent que l'amour est une émotion plus puissante et agréable encore que la gratitude. D'accord, sauf qu'il faut savoir que l'amour est une émotion complexe, car en fait, elle permet la présence d'émotions négatives en même temps : on peut aimer et éprouver de l'hostilité simultanément pour la même personne, on peut aimer et ressentir de la peur, de l'anxiété et de la jalousie tout à la fois, etc. La gratitude, de son côté, ne permet pas la présence d'émotions désagréables en même temps. On ne peut éprouver ni le manque, ni la rareté, ni la peur, ni l'anxiété lorsqu'on fait l'expérience de la gratitude à une intensité de 8 ou 9/10. Également, il est plus facile d'apprécier un client ou un patron difficile que d'éprouver de l'amour pour lui…

Comment parvenir à ressentir la gratitude avec intensité ?

- En tenant un journal de nos plus beaux moments de la journée ;

- en écoutant de la musique qui nous élève l'âme ;
- en relisant des romans qui ont touché notre cœur ;
- en visionnant à nouveau des films inspirants, communicateurs d'espoir ;
- en lisant des biographies de leaders qui ont contribué à améliorer le monde ;
- en parlant avec des gens heureux qui se considèrent choyés par la Vie, qu'ils apprécient ;
- en regardant des photos de la naissance des enfants, de voyages, de fêtes ;
- en orientant nos conversations pour créer de l'énergie chez les autres ;
- en écrivant notre « billboard » des 10 plus beaux moments partagés avec chacune des personnes significatives de notre vie, etc.

Tout ce qui crée de l'inspiration et de la reconnaissance envers la vie contribue à créer une route à 4 voies vers le positif à l'intérieur de notre cerveau. Une fois l'émotion de la gratitude enclenchée, non seulement est-il facile de créer les autres émotions agréables, mais il n'y a plus d'espace disponible pour les émotions limitatives.

Un répertoire utile

Je fais un exercice très puissant avec mes clients en *coaching*. Je leur demande de répertorier les 10 plus beaux moments de leur vie en les décrivant en 10 pages. Ils doivent relater l'expérience en mettant l'accent sur leurs sens : qu'avez-vous ressenti dans votre corps, que vous disiez-vous à vous-mêmes, qui était là, était-ce chaud, froid, qu'est-ce que ça sentait, que ça goûtait ?

L'idée est de faire ressurgir à l'esprit l'expérience sensorielle, car le saviez-vous, le cerveau ne fait pas la différence entre un souvenir évoqué avec intensité et une situation que l'on vit, ici et maintenant ? Il va se mettre à produire les endorphines, la sérotonine, les hormones du bonheur dès qu'on replonge dans l'expérience. Alors, le principe est de méditer sur ces scénarios de vie afin de les revivre à nouveau par l'évocation.

Vous comprendrez que ce document sert alors de nourriture au bon loup lorsqu'on se retrouve en train de sombrer dans une période difficile ou qu'on fait face à un énorme stress. Cet écrit devient alors un outil externe à consulter afin de se désamorcer au cœur de la tempête.

Un de mes accès à la gratitude

Par exemple, voici un souvenir heureux qui me permet d'induire l'émotion de la gratitude en moi en moins de deux minutes. Il y a trois ans, à la naissance de ma fille, j'ai développé l'habitude de la bercer dans sa chambre avant de la mettre au lit. Ces moments très significatifs garderont toujours un côté sublime. Elle était toute moelleuse, chaude et collée étroitement à moi, et l'on aurait cru son corps moulé pour s'accrocher au mien. Hormis sa peau plus douce que du velours, elle sentait le bon shampooing pour bébé. Sa tête était déposée sur mon épaule et, à chaque profond « respir », le souffle chaud de son petit nez me chatouillait dans le cou. Wow ! Je savourais tellement le moment que j'en avais la gorge nouée. Et, chaque fois, je me disais : « *Merci, mon Dieu, d'avoir envoyé ce petit bébé-là dans ma vie !* »

Une fois l'émotion activée en moi, je rayonne, je me sens confiante, je me sens bénie et je suis prête à affronter toute difficulté avec beaucoup plus de présence, de force et de puissance intérieure. Je suis plus inspirée et plus intuitive. Générer la gratitude est devenu un rituel pour moi, une drogue positive.

Je pratique cette forme de méditation de la gratitude entre 5 et 20 minutes avant d'aller enseigner à l'université, avant de donner mes conférences et avant mes séances d'accompagnement individuel. Si je n'en ai pas le temps à cause de problèmes techniques qui m'accaparent juste avant ma lancée, je perçois la différence sur le plan de ma performance. Même Julie, mon assistante à l'École Polytechnique et à l'UQÀM, est capable de distinguer si je suis dans cet état intérieur. En fait, elle sait remarquer quand je suis dans le « *Flow*[5] », cet état d'inspiration grâce auquel je me sens connectée à mon auditoire et les mots jaillissent tout simplement dans mon esprit. J'ai alors l'impression que le temps est arrêté. La gratitude m'amène à ce flux, ou cet état psychologique optimal.

Orienter la conversation = orienter le *focus*

« Si tu veux que ton client te parle de son frère, parle-lui du tien[6] », disait Milton H. Erickson. De fait, les gens sont portés à enrichir le thème de la conversation en cours de leurs propres exemples personnels, car le discours de l'autre fait écho à l'expérience en soi.

Je me souviens d'un beau moment après une de mes conférences où je suis restée à bavarder avec des

---

5. *Flow* (flux ou état de flux en français) : concept proposé par le psychologue Mihály Csíkszentmihályi afin de désigner l'expérience optimale ou l'état d'opération mentale à l'intérieur duquel un individu est tellement immergé dans ses actions que rien n'a d'importance outre le moment vécu, tant il est agréable et nourrissant. Si vous voulez en savoir plus, je vous suggère son livre : *Vivre. La Psychologie du bonheur*, Paris, Robert Laffont, 2004, 264 p.
6. On surnomme Milton Erickson l'« Einstein de la communication du 20e siècle ». L'approche thérapeutique de ce psychiatre renommé pour induire au changement est si efficace qu'on l'étudie actuellement dans les universités de partout dans le monde.

participants. Comme j'avais parlé d'un ou deux souvenirs de gratitude lors de ma présentation, les gens se sont mis à raconter leurs propres accès à la gratitude. Une relatait un moment magique vécu en compagnie de son fils, qu'elle a décrit avec émotion. Un autre évoquait une période particulière au travail, durant laquelle il avait senti et ressenti la complicité et la solidarité de son équipe.

Plus la conversation avançait, plus les souvenirs jaillissaient dans leur esprit. Vous auriez pu palper l'énergie et l'enthousiasme tellement c'était intense. Personne n'avait envie de quitter les lieux, car nous étions en contact avec une belle partie de notre réalité. Nous sommes repartis plus conscients de notre bonheur, donc plus heureux.

Nos conversations créent la réalité

Sachons que nos paroles créent la réalité, car nous orientons l'attention de tout le monde par le biais de notre langage. Après tout, Hitler n'a usé que de paroles pour éveiller la haine et la rage de l'Allemagne nazie afin de la mener à l'atrocité du génocide. Quant à Martin Luther King, Nelson Mandela ou Gandhi, eux aussi ont su orienter les conversations afin de créer une nouvelle réalité dans l'esprit de leurs concitoyens. Et vous, de quoi parlez-vous ? Vous orientez votre entourage vers quels aspects de la réalité au gré de vos conversations ?

Se plaindre, parler du problème et des contraintes, ne fait que les accroître dans l'esprit de tous et occasionner des états d'esprit pesants. Tandis que parler des ressources de chacun, des possibilités de solution à ces mêmes problèmes, voilà qui crée énergie et espoir.

Chaque soir, je demande à mes fillettes (de 5 ans et 3 ans) de me conter leur plus beau moment de la journée. Lorsqu'elles l'ont trouvé, je les questionne de sorte qu'elles me le décrivent en détail en utilisant tous leurs sens. J'espère contribuer à construire chez elles un solide circuit neurologique axé sur la gratitude, amplifier leur sentiment subjectif de bonheur et contrer cette malheureuse tendance, propre à notre société occidentale, de tout tenir pour acquis et de ressentir le manque devant ce qu'on n'a pas encore réussi à obtenir.

Bienfaits collatéraux de la gratitude

Préférez-vous la présence des gens qui apprécient la vie, qui remercient et qui sont heureux d'un petit rien ? Ou préférez-vous la présence des éternels insatisfaits, des gens qui tiennent tout pour certain et qui ne remarquent que ce qui manque ou ce qui aurait pu être mieux ? Facile comme question !

Maintenant, quel genre d'attitude adoptez-vous le plus souvent ? Il peut être utile de demander la rétroaction de nos proches quant à notre tendance, car malheureusement, nous ne sommes pas très conscients de nous-mêmes… Nous répondons davantage en fonction de nos idéaux que de nos comportements réels, sans trop nous observer.

Ressentir la gratitude augmente notre charisme et notre leadership. Les gens nous trouvent plus inspirants et notre simple présence les fait grandir. De plus, n'est-on pas porté à vouloir en faire plus pour ceux qui apprécient ? La gratitude a ses effets énergétiques : on se sent mieux, plus vivant et comblé.

Sur le plan relationnel, on rayonne plus, on insuffle de l'énergie aux autres au lieu de leur en drainer. L'ambiance au sein d'une équipe de travail devient légère et agréable. Quant à l'aspect physiologique[7], des recherches ont prouvé que la gratitude améliore la cohérence cardiaque et le système immunitaire, diminue le stress et contribue à produire plus de DHEA (hormone de jouvence, anti-âge). Sans compter les autres effets collatéraux. Sur le plan intellectuel, la gratitude améliore le fonctionnement cognitif et crée un meilleur accès à notre intuition.

Accéder au cerveau émotionnel par le corps

Non seulement le cerveau émotionnel contrôle tout ce qui régit le bien-être psychologique, mais il régule

---

7. Voir Servan-Schreiber, *op. cit.*, chap. 4.

une grande partie de la physiologie du corps : le fonctionnement du cœur, la tension artérielle, les hormones, le système digestif et même le système immunitaire[8].

Sauriez-vous me dire ce qui est venu avant ? L'œuf ou la poule ? Embêtant, n'est-ce pas, car l'un crée l'autre ! Ce qui est intéressant dans cette métaphore, c'est le parallèle entre notre corps et nos émotions. De fait, notre corps adopte une certaine physiologie et une certaine chorégraphie lorsque nous sommes heureux, passionnés, pleins d'énergie. Il en adopte une tout autre en revanche lorsque nous sommes épuisés, déprimés et résignés. Si émotionnellement ça va mal pour nous, il est toujours possible de déjouer la programmation de notre cerveau émotionnel en « faisant comme si », c'est-à-dire en imitant la chorégraphie d'une personne qui ressent l'état intérieur qu'on veut reproduire en soi. Ce qui consiste souvent à se tenir droit, déployer son corps avec vigueur, faire une mimique faciale pleine d'entrain, etc. En vertu de la programmation du cerveau émotionnel, ce dernier s'empressera alors de sécréter les hormones du bonheur : sérotonine, endorphines, etc., exactement comme si nous étions en forme et de bonne humeur.

Le jogging, la course, la danse, les sauts dans les airs, les sifflements et applaudissements, le chant, etc. – tous ces comportements de notre corps font croire au cerveau émotionnel que nous sommes heureux et

8. SERVAN-SCHREIBER, œuvre citée, p. 21.

remplis d'énergie ; alors celui-ci crée l'émotion correspondante.

La puissance des histoires qu'on se raconte : donner une signification plus grande

Vous savez que notre perception de la réalité est construite socialement et que c'est totalement arbitraire ? Nous sommes de vraies machines à se raconter des histoires ! Et les histoires qu'on se raconte, nous sommes convaincus qu'elles sont vraies, bien qu'en fait elles dépendent de notre culture, de notre religion, des valeurs familiales, etc. Leur caractère absolu est plutôt relatif. Étant donné leur emprise sur notre inconscient, les histoires sont puissantes, elles peuvent même nous paralyser ou nous donner des ailes. Et nous avons la possibilité de les changer en trouvant une signification plus grande aux difficultés de notre vie.

Prenons un exemple familier : avez-vous déjà été dans l'environnement immédiat d'un manipulateur ? Ça draine de l'énergie, ce genre de personne, n'est-ce pas ? Le premier réflexe est de l'éviter le plus possible. Sinon, on doit le subir. Il s'ensuit une perte d'énergie émotionnelle en sa présence, qui perdure même dans l'absence, car on a souvent envie de parler de lui dans son dos.

Les manipulateurs jouent avec notre culpabilité dans un premier temps et ils déclenchent ensuite de l'hostilité et de la rancœur. Enfin, il n'est pas abusif de dire qu'une attitude manipulatrice constitue une difficulté réelle au sein d'une équipe de travail, d'une famille.

Sauf qu'il faut savoir ceci : les manipulateurs n'ont aucune emprise sur les gens très affirmatifs qui n'ont pas tendance à se culpabiliser facilement. Plus on s'affirme, plus on est « téflon » à la manipulation. Les manipulateurs vont plutôt s'attaquer à un interlocuteur au style de communication passive : une personne qui évite la confrontation, qui craint de décevoir, qui se sent responsable du bonheur des autres, qui n'ose pas refuser, qui est naïve car trop réceptive, etc.

Alors, la première histoire qu'on se raconte avec un manipulateur dans notre équipe, c'est qu'il est une vraie épine dans le pied. Beau problème, oui. Mais on peut choisir de se raconter une tout autre histoire !

On peut se dire qu'il est l'envoyé spécial de la Vie venu nous enseigner la communication affirmative ! N'est-ce pas qu'un manipulateur est le meilleur professeur d'affirmation de soi avec lequel on peut s'exercer à dire non, à mettre ses limites, à ne plus se sentir responsable du bonheur ni du malheur des autres ? Avec les gens normaux, c'est trop facile. Ils savent qu'il ne faut pas s'imposer, ils n'essaient pas de nous coincer dans un coin afin qu'il nous soit impossible de leur refuser une faveur, etc.

Donc, s'il y a une catégorie d'individus avec laquelle on peut se pratiquer et exercer une saine affirmation de soi, c'est bien le manipulateur. Dans ce contexte, il devient pertinent de rechercher sa présence le plus souvent possible. On passe de la perte d'énergie à l'anticipation d'un apprentissage qui nous force à aller à l'extérieur de notre zone de confort pour tester de nouvelles habiletés, se développer et devenir un individu plus complet.

Alors, comme toutes les histoires qu'on se raconte sont relatives et arbitraires, pourquoi ne pas choisir de se raconter des histoires qui nous donneraient de la force ou de la compassion ?

En conclusion

Plus on développe notre intelligence émotionnelle, plus on acquiert de liberté intérieure et de pouvoir sur notre vie. Par la maîtrise de nos émotions, nous cessons d'être des pantins téléguidés réagissant aux aléas de la vie et aux attitudes des gens autour de nous. Ainsi, le succès tel que nous le concevons devient plus facilement et rapidement accessible.

L'état des connaissances sur le fonctionnement de l'être humain (des relations humaines, de la conscience, de l'intelligence émotionnelle, de la psychologie, de la communication, du développement personnel et professionnel, etc.) est tel qu'une multitude de ressources et de stratégies existent et sont à notre portée.

Il n'en tient qu'à nous d'investir dans notre principal outil, c'est-à-dire nous-même, afin de déployer au maximum le plein potentiel qui nous habite. Il est d'ailleurs tellement supérieur à ce qu'on peut envisager...

Ouvrages que je vous recommande :

CSÍKSZENTMIHÁLYI, Mihály. *Vivre. La Psychologie du bonheur*, Paris, Robert Laffont, 2004, 264 p.

GOLEMAN, Daniel. *Surmonter les émotions destructrices. Un dialogue avec le dalaï-lama,* Paris, Pocket, coll. « Évolution », 2008, 704 p.

MAYER, John D., Peter SALOVEY et David R. CARUSO. « Models of Emotional Intelligence », dans Robert J. STERNBERG, (dir.), *Handbook of Intelligence*, Cambridge (RU), Cambridge University Press, 2000, pp. 396-420.

SERVAN-SCHREIBER, David. *Guérir le stress, l'anxiété et la dépression sans médicaments ni psychanalyse*, Paris, Éditions Robert Laffont, 2003, 301 p.

Sylvie Fréchette

Nous nous souvenons avec fierté de cette belle athlète olympique, mais aussi de la femme courageuse, persévérante et déterminée qui a mérité notre admiration.

Dès 1986, elle rafle l'or en nage synchronisée aux Jeux du Commonwealth. Cinq ans plus tard, elle inscrit 7 marques parfaites de 10 au Championnat du monde aquatique d'Australie ! Un nouveau record mondial qui la consacre championne du monde. De 1988 à 1992, elle se classe première, toujours en solo, dans toutes les compétitions internationales auxquelles elle participe.

Sylvie Fréchette entreprend les Jeux de Barcelone l'esprit tourmenté. D'abord son grand-père meurt quelques mois avant le grand événement, puis une semaine avant le début des Jeux, son fiancé se suicide. Malgré le deuil, elle tient à poursuivre son rêve olympique. Mais ce n'est pas tout. Alors qu'elle effectue la performance de sa carrière, une erreur technique d'une juge la cale à la quatrième place aux figures imposées. Elle finit deuxième au combiné. C'est la déception avant la mesure exceptionnelle. Il lui faut attendre 16 mois et une révision de son dossier pour se voir enfin remettre la médaille d'or par le Comité international olympique (CIO) lors d'une cérémonie retransmise aux quatre coins du pays.

Presque deux ans plus tard, Sylvie reprend l'entraînement avec sept autres membres du club Montréal Synchro. En équipe, elles obtiennent l'argent aux Jeux olympiques d'Atlanta en 1996. Sylvie quitte ensuite le sport amateur.

Après avoir travaillé plusieurs années auprès du Cirque du Soleil, à Las Vegas, en tant qu'artiste, entraîneuse, conceptrice (scénographe) aquatique et adjointe coordonnatrice artistique, elle revient aujourd'hui s'établir au Québec pour notre plus grande joie.

On vise le sommet, une marche à la fois

Qu'est-ce que vous voulez faire dans la vie ? Voilà une petite question toute simple, mais souvent si difficile à répondre... Pourtant, posez-la à un enfant et il vous répondra spontanément : astronaute, pilote de course, princesse, rappeur vedette, etc. Et nous, on sourit, on dit qu'on va y penser un peu...

On dirait que plus on vieillit, plus on perd de notre spontanéité : on oublie de s'arrêter pour prendre conscience de ce qui se trouve au fond de nous, ce qui nous fait plaisir ou du bien, ce qui nous tient vivant ! Ce que l'on a toujours voulu faire sans jamais l'avoir osé, pour différentes raisons que l'on s'invente : manque de temps ou d'argent, conjoint fatigué, travail éreintant, enfants à faire garder, parce qu'on est trop vieux...

On est pourtant maître des décisions que l'on prend ! On est maître de son destin, de ses défis, de son bonheur ! Parfois, on a l'impression que le destin nous joue de vilains tours, mais on demeure responsable de foncer ou d'abandonner, de s'écraser ou de se battre. Nous sommes donc aussi les décideurs de notre vie ! Cela semble si simple et pourtant...

À l'âge de 7 ans, j'ai découvert la nage synchronisée alors que je suivais des cours d'initiation à la natation au Bain Rosemont à Montréal. Tandis que je faisais mes bulles dans la partie peu profonde de la piscine, les grandes qui s'entraînaient dans la partie profonde, elles, pouvaient lever les bras hors de l'eau sans couler au fond. Pour moi, cela s'avérait le plus grand tour de magie ! Les filles ne touchaient pas au fond, n'étaient pas debout sur les épaules d'une amie cachée en dessous d'elle. Non, non, elles faisaient tout simplement un mouvement de ronds de jambes étrange, et voilà !

J'ai alors posé la question à ma mère : « Mom, es-tu capable de faire ça, toi ? » Elle m'a répondu en souriant : « Mais non, cocotte... » C'est là que j'ai eu ma première mission dans la vie : apprendre à faire enfin quelque chose que ma mère n'était pas capable de faire.

Lorsqu'on a recruté des jeunes filles pour un spectacle de nage synchronisée, j'ai vite compris qu'il fallait saisir cette chance d'apprendre cette magie aquatique ! Le spectacle fut tellement simple mais si révélateur. Nous étions huit jeunes filles maquillées avec des maillots roses et les cheveux pleins de brillants tout aussi roses, et nous nagions au son de la musique, sous les projecteurs, devant des gradins bondés de spectateurs qui nous applaudissaient et nous prenaient en photo !

Ça y est, j'étais une vedette, j'adorais la nage synchro. C'est à ce spectacle que j'ai rencontré Julie Sauvé, qui était entraîneuse. C'est elle qui m'a fait découvrir le merveilleux monde de la nage synchronisée et la possibilité de faire de la compétition.

Julie a beau me répéter aujourd'hui que j'étais une jeune nageuse très douée, c'était peu convaincant après mon premier championnat canadien, à l'âge de 11 ans, où je m'étais classée 23e sur 24… Ouf… À la remise des médailles, je regardais les « chanceuses » recevoir la leur de l'autre côté de la piscine et Julie a capté l'intensité de mon regard vers elles.

Elle m'a tout simplement demandé : « Tu aimerais en avoir une belle médaille, toi aussi ? » Je lui ai tout de suite répondu : « Oui, mais comment on fait ?

– Tu sais, Sylvie, il n'y a qu'une seule façon d'y arriver. Il va falloir que tu travailles très, très fort. »

Je dois vous avouer que j'ai été très déçue par sa réponse. Je m'attendais à une solution plus révolutionnaire, plus *cool* ! Pas à une phrase que ma mère prononçait le jour durant ! J'ai conclu un marché avec Julie : « Je vais travailler fort un petit bout de temps, on va voir ce que ça donne, et après je déciderai pendant combien de temps je vais travailler fort. » À l'âge de 13 ans, je suis devenue championne canadienne. Qu'est-ce que cela voulait dire, travailler fort ? Je m'entraînais déjà une trentaine d'heures par semaine !

1. « Tu te bats ou tu abandonnes, c'est ton choix. »

Dès l'âge de 15 ans, j'évoluais au sein de l'équipe nationale canadienne, mais j'ai dû patienter jusqu'à l'âge de 22 ans avant de pouvoir représenter mon pays en solo dans les compétitions majeures. Une des plus grandes nageuses synchronisées de l'histoire, Carolyn Waldo, alors championne canadienne et triple médaillée olympique, a enfin annoncé qu'elle prenait sa retraite cette année-là… Carolyn, lors de son règne, raflait les honneurs de toutes les compétitions auxquelles elle participait. Elle était une compétitrice redoutable !

À ma première Coupe du monde, je suis arrivée 2e en solo, 3e en duo et 2e en équipe. Disons que c'est bien pour une première participation à une compétition majeure en solo et en duo, mais Carolyn Waldo, elle, remportait tout – pas moi… J'étais déçue, c'est certain, mais Julie m'a bien fait comprendre que c'était un bon début, qu'il fallait continuer à travailler encore plus fort.

Je ne sais pas pourquoi, mais c'est à ce moment-là que je suis apparue, pour la première fois de ma carrière, en page frontispice d'un journal, avec une belle grosse photo de moi. Or, le titre disait : « Décevante médaille d'argent pour Sylvie Fréchette ». Ouf ! Que ça fait mal… Oui, c'est vrai que j'étais un peu déçue, mais que tout le monde le lise, que quelqu'un d'autre que moi le dise haut et fort ?

Vous rendez-vous compte qu'à l'âge de 22 ans je m'entraînais 40 heures par semaine, j'étudiais à temps plein à l'Université de Montréal, j'étais 2e au monde dans ma discipline sportive… et la déception de mon pays ?

Ça y est, j'arrête. C'est fini. J'arrête de m'entraîner pendant deux mois. Ma mère pourrait vous certifier que j'étais la personne la plus désagréable au pays ! Comme j'étais tannée de m'entendre bougonner moi-même, j'ai décidé d'appeler mon entraîneuse pour savoir l'heure de l'entraînement du lendemain, pensant que cela me ferait du bien. Julie m'a répondu qu'elle ne me voulait plus dans la piscine devant elle. Je n'en croyais pas mes oreilles ! Pourquoi ? C'est quoi le problème ?

Julie m'a alors expliqué sa vive déception devant ma réaction, mon attitude de perdante. La vie n'est jamais parfaite. Nous devons tous à un moment donné de notre vie faire face à une déception. On n'est pas content ou on n'a pas atteint notre objectif. Cela va tous nous arriver un jour. Mais la différence entre un leader et un perdant est tout simplement notre réaction devant cette situation. On se retrousse les manches et on se bat, ou l'on s'écrase et on abandonne.

2. L'importance de se connaître

Quand on se retrousse les manches, on prend le temps d'analyser : Qu'est-ce qui est arrivé ? Pourquoi n'ai-je pas réussi ? Est-ce que j'ai vraiment réalisé une performance à la hauteur de mes capacités ? Quelles sont mes forces et faiblesses ? Qu'est-ce que l'athlète qui m'a battue a réussi de mieux que moi ? Quelles sont ses forces et ses faiblesses ? Ce qu'on apprend de cette analyse, c'est de l'or en barre ! C'est un apprentissage que l'on n'est pas près d'oublier !

Quand on abandonne, on n'apprend rien. Rien du tout. Où va-t-on après ? Mon entraîneuse m'a bien fait comprendre que si j'avais l'intention de reprendre l'entraînement, c'était pour de bon, peu importe le résultat : première, cinquième ou dernière ! Ça fait partie du cheminement, ça fait partie de l'apprentissage ! Cela fait partie du parcours des champions.

Ouf ! On ne m'avait jamais parlé de cette manière de toute ma vie ! Mais le lendemain, j'étais de retour à la piscine. Julie et moi avons regardé la vidéo de ma performance, la prestation des autres finalistes, et Julie m'a bombardée de questions : « Pourquoi veux-tu continuer ? Pourquoi la nage synchro ? Qu'est-ce que tu aimes ? Quelles sont tes forces, tes faiblesses ? » Toutes les questions qui nous poussent là où on évite d'aller... Toutes les questions qui te poussent à te regarder dans un miroir et à faire face à toi-même.

Qui êtes-vous ? Quelles sont vos forces et vos faiblesses ? Aimez-vous ce que vous faites ? Pourquoi vous levez-vous chaque matin et vous mettez-vous en file dans le trafic ? Qu'est-ce que vous aimez ? Qu'est-ce qui vous fait sentir vivant ? Qu'est-ce qui vous allume, vous donne du cran ?

C'est tellement important de prendre le temps de non seulement se poser ces questions, mais surtout d'y répondre ! Avoir le courage de se mettre au défi, comme nous seuls pouvons le faire, de se remettre en question pour mieux reprendre notre envol ! Décider de notre prochaine destination.

3. Niveau d'entraînement quotidien

« Voyons donc, Julie, je ne ferai jamais ça en compétition ! » J'ai osé dire cela à mon entraîneuse après avoir visionné une partie de ma routine lors d'un entraînement en préparation pour le Championnat du monde. J'ai fait ce commentaire lorsque j'ai vu des détails faciles à corriger, mais qui font toute une différence une fois la correction apportée.

« Pourquoi attendre ? m'a-t-elle demandé. C'est le niveau de tes entraînements quotidiens qui déterminera ton niveau de performance sous l'adrénaline du jour J. Si tu penses au quotidien à ces petits détails, souvent insignifiants, ton attention sera tournée vers des détails plus significatifs lors du jour J, et ta performance sera encore plus près de la perfection. »

Wow ! Je n'avais jamais réalisé cela auparavant. C'est vrai qu'il y a une tonne de petits détails que l'on ne se donne pas la peine d'envisager au quotidien. On se dit : « *Ce n'est pas important pour le moment, je le ferai plus tard, personne ne le saura, c'est tellement simple que ça peut attendre...* »

Et si on les réglait tout de suite ? Et si on prenait l'habitude de prendre soin des détails au quotidien ? Si on augmentait notre performance quotidienne ? Notre niveau de performance y gagnerait certainement des galons !

4. Visualiser son succès

« Pour devenir championne du monde, tu dois t'imaginer en train de monter sur la plus haute marche du podium. Tu dois être capable de te voir en train de nager, de te visualiser nageant la routine parfaite. Si tu ne peux l'imaginer, le rêver, le visualiser, comment veux-tu que cela t'arrive ? »

Voici mon nouveau défi en préparation pour les Championnats du monde aquatique : visualiser mon succès. D'abord le voir et le rêver, s'en imprégner d'avance, pour être ensuite capable de l'exécuter. Répéter mentalement tous les jours ma routine parfaite pour que mon corps soit capable de la reproduire lors du jour J.

Il faut savoir visualiser les moindres petits détails – comment on se sent avant, pendant, après – sentir l'eau, ses muscles qui travaillent et qui maîtrisent chaque mouvement ; voir la piscine, les juges, la foule... Absolument tout ! Même le pointage que la championne du monde méritera pour son incroyable performance !

J'ai répété cet exercice tous les soirs avant de m'endormir. Arrivée sur place, j'avais l'impression de connaître déjà les lieux, la piscine, l'environnement. J'avais l'impression d'avoir déjà vécu ce moment. J'étais beaucoup moins stressée qu'à l'habitude, même si j'étais aux championnats du monde. C'était comme si je vivais une expérience de déjà-vu. J'ai très, très bien nagé : 7 notes parfaites de 10 pour remporter la médaille d'or avec le plus haut pointage de l'histoire ! Mon rêve est enfin devenu réalité ! Je suis devenue championne du monde, comme je l'avais visualisé tous les jours pendant près d'un an !

La visualisation n'est pas un outil d'athlète, mais bien un outil de vie. Quel est votre but, votre objectif ? Que voulez-vous accomplir ? Une fois que vous l'avez déterminé, allez-y! Prenez quelques minutes tous les jours pour le visualiser. Commencez par de courtes séquences, puis ajoutez-y des éléments: ce que vous portez, ce que vous faites, ce que vous dites, comment vous vous sentez... Tout doit y être dans les moindres détails. Il faut d'abord visualiser son succès avant de pouvoir y accéder!

5. Le confort: pire ennemi de l'excellence

À mon retour à Montréal après les championnats du monde, je me sentais comme sur un nuage, comblée par les résultats obtenus. On améliore quoi, quand on est championne du monde avec 7 notes parfaites de 10? On travaille sur quoi, quand on a obtenu le plus haut pointage de l'histoire?

Tout à coup, pour la première fois de ma carrière, je me suis sentie bien. J'ai donc osé demander à mon entraîneuse si on ne pouvait pas diminuer un peu les heures d'entraînement, puisque tout allait tellement bien... C'est à ce moment-là qu'elle m'a mentionné: « Sylvie, le pire ennemi de l'excellence, c'est le confort. » Pourtant, il me semble que le confort est ce que tout le monde recherche dans la vie, non?

Pensez à un moment de confort; par exemple, bien assis dans votre confortable fauteuil au salon, avec l'ultime, la fameuse télécommande à la main! N'est-ce pas un moment de confort parfait? Une fois bien installé, il n'y a pas grand-chose pour nous faire lever, même pas le téléphone qui sonne! On se dit: «*Bof, le répondeur est là!*» Pendant que l'on est confortablement assis, on s'engourdit, on s'assoupit, on s'endort... Les occasions passent et... on ne se relève tout simplement pas!

L'excellence, ce n'est pas cela! L'excellence, c'est d'être vivant, d'être connecté à son instinct, d'être prêt à tout, n'importe quand! En fait, l'excellence, c'est de rester loin de son fauteuil et de la télécommande!

Et une fois qu'on est bon, une fois qu'on est excellent? Il faut viser à être super-excellent! Le niveau d'excellence d'aujourd'hui ne sera pas le niveau d'excellence de demain. La compétition féroce et le développement des nouvelles technologies s'occupent bien de faire monter la barre de l'excellence, toujours un peu plus haut, mais pour demeurer au sommet de son art, on doit rester loin du piège du confort: plutôt rester bien vivant, éveillé et prêt à se surpasser.

6. L'équipe

Aucun succès n'est accompli seul. On a tous besoin de gens qui, de près ou de loin, participent à notre succès. Mais quels sont les éléments essentiels à la réussite d'une équipe? Il est primordial que chaque membre de l'équipe soit conscient de l'objectif à atteindre et connaisse son rôle au sein de l'équipe.

Même en tant que soliste pour les Jeux de Barcelone, j'avais toute une équipe autour de moi. Certaines personnes comme Julie, mon entraîneuse. Je la voyais et travaillais avec elle presque tous les jours. Je côtoyais d'autres membres de l'équipe quelques fois par semaine et, dans d'autres cas, la fréquence variait selon le besoin et la période de l'année.

Chaque membre de mon équipe connaissait l'objectif à atteindre, soit ma meilleure performance à vie, le 6 août 1992 à Barcelone, qui allait me faire remporter la médaille d'or olympique. Chaque membre de mon équipe connaissait les attentes exactes de Julie et de moi vis-à-vis d'eux. La réussite n'était possible que si nous jouions tous bien nos rôles respectifs.

Qui fait partie de votre équipe ? Ces personnes connaissent-elles l'objectif à atteindre ? Leurs rôles et attentes individuelles ont-ils bien été déterminés avec eux ?

7. L'escalier

Pour atteindre son but, son objectif, son rêve, ça prend un plan, une stratégie, ce que j'appelle *avoir son ESCALIER*. Notre rêve/but est en haut de l'escalier, mais ça prend des marches pour se rendre en haut. Chaque marche représente un petit objectif à atteindre : une marche à la fois, pour monter tout doucement jusqu'en haut !

C'est important de ne pas perdre de vue notre rêve, le haut de l'escalier, mais le point de mire doit être la prochaine marche à franchir. Toutes les marches ne seront pas égales : certaines seront plus hautes, plus profondes, plus difficiles à gravir. C'est normal ! Aussi longtemps qu'on suit sa stratégie, qu'on garde le centre d'intérêt en tête et dans le cœur, on grimpe une marche à la fois...

Quel est votre but, votre objectif, le rêve qui se situe en haut de votre escalier ? Avez-vous établi votre stratégie ? Connaissez-vous l'objectif de chaque marche de l'escalier de votre succès ?

8. Maintenant, place à vous !

Maintenant que j'ai partagé avec vous les outils qui m'ont aidée et m'aident toujours à atteindre mes objectifs, mes rêves, si je retournais maintenant le miroir vers vous et que je vous posais tout simplement la première question, au tout début du texte : « Et vous ? Qu'est-ce que vous voulez faire ? »

Si vous ne prenez pas le temps d'y penser, d'en rêver, si vous êtes incapable de le visualiser, comment voulez-vous que cela vous arrive ?

Nulle inquiétude, vous y parviendrez. Il suffit surtout de persévérer.

Christine Michaud

Originaire de Québec, Christine détient un baccalauréat en droit de l'Université Laval. Elle a travaillé pour le quotidien *Le Soleil* avant de faire sa première apparition au petit écran en tant que chroniqueuse littéraire à l'émission de Louise Deschâtelets au Canal Vox. Par la suite, elle a animé l'émission *Coup de cœur littéraire* avant de se retrouver aujourd'hui dans l'équipe de *Salut Bonjour week-end* à l'antenne de TVA.

Christine est également chroniqueuse littéraire à l'émission radiophonique *Les midis de Véro* sur Rythme FM Montréal 105,7 et elle anime *Les matins de Québec,* de 7 h à 9 h en semaine, en compagnie de Jean Sasseville sur Rythme FM Québec 91,9.

Passionnée de lecture, Christine croit fermement qu'un livre ou une conférence qui inspire et motive les gens peut changer leur vie personnelle et professionnelle. C'est du moins ce qui lui est arrivé ! Ayant elle-même effectué un important changement de cap dans sa vie pour retrouver le bonheur, elle a développé sa propre expertise. C'est pourquoi aujourd'hui, elle donne des conférences partout au Québec sur l'estime de soi et les principes du succès.

Vivre est un cadeau

« Souvent les gens essaient de vivre leur vie à l'envers : ils essaient d'avoir plus de choses, ou plus d'argent, afin de faire davantage ce qu'ils veulent pour être plus heureux. La façon dont cela marche vraiment, c'est le contraire. D'abord, vous devez ***être*** *ce que vous êtes vraiment, ensuite* ***faire*** *ce qu'il vous faut faire, afin d'****avoir*** *ce que vous voulez. »*

– Margaret Young

Aujourd'hui, comme plusieurs de mes collègues, je donne des conférences sur les principes du succès. Plus récemment, j'ai développé une expertise particulière (si on peut dire…) sur la loi de l'attraction. Toutefois, avec le temps, les expériences, les lectures et les prises de conscience, je m'aperçois que tout part de l'être, de soi ; c'est en quelque sorte la « résidence d'accueil » de notre principale source d'éveil. C'est pourquoi je parle aussi d'estime de soi. La parfaire est une façon de nous inspirer en vue de redécouvrir et surtout, nous connecter à notre réelle puissance.

Au fond, qu'en est-il vraiment de tous nos rêves ? Pourquoi nous reviennent-ils sans cesse et surtout, comment fait-on pour les concrétiser ? Tout commence souvent par une insatisfaction. Quelque chose ne tourne pas rond et cet état de fait nous met la puce à l'oreille... Comment cela pourrait-il être différent ? Pourquoi ai-je l'impression que tel événement m'interpelle ? Je ne comprends pas pour quelle raison j'éprouve ce sentiment... N'y a-t-il rien de mieux à vivre ou à faire pour y voir plus clair et me sentir bien ?

Un modèle de « faire plaisir »

Parfois, certains choisiront de demeurer cantonnés dans un malheur confortable, de se scléroser dans un affreux marasme plutôt que de passer par une période d'inconfort pour atteindre ensuite un plus grand bonheur. Tandis que la vie poussera à bout d'autres individus, souvent parce que l'appel de l'âme est trop fort, ou la déviation trop grande entre ce qui est et ce qui devrait être. Ce fut mon cas. J'étais un modèle de « faire plaisir ». En ce sens, je m'étais complètement perdue. Je m'étais fabriqué des masques qui me gardaient en état de survie jusqu'au jour où... la foudre frappa !

À l'âge de 28 ans, exerçant alors un métier que je n'aimais pas, je fis une dépression. Et étonnamment, je peux affirmer aujourd'hui que ce fut un merveilleux cadeau de la vie. C'est à cette époque que je fis la connaissance de l'auteur Marc Fisher, celui qui m'a ouvert les portes du développement personnel. Ce fut mon point de bascule, il a marqué un tournant dans mon existence. À partir de ce moment de crise, j'ai amorcé ma quête d'authenticité. Je dus alors réapprendre à me connaître avant tout et découvrir en quoi consistait ma mission. Plusieurs livres, thérapies et formations de toutes sortes m'ont grandement aidée. Et la vie que je mène aujourd'hui n'a plus rien à voir avec celle de cette époque plus trouble.

Je sais que le cheminement sur soi en est un de longue haleine et qu'il s'agit la plupart du temps du travail d'une vie. Mais je peux également ressentir d'ores et déjà le bonheur profond que procure une vie qui a du sens. Je me suis branchée sur le courant du merveilleux et sur la magie de la vie. C'est pourquoi j'ai autant à cœur d'en parler aujourd'hui. J'en connais les bénéfices et j'aspire à en éprouver l'harmonieux équilibre par tous les pores de mon être. Bien que la vie ne soit pas toujours une réelle partie de plaisir et que certains événements puissent nous affecter, je crois que si nous faisons émerger la force qui nous habite, nous serons mieux outillés pour faire face aux difficultés.

Inspirer afin de réaliser

Plus je progresse dans mon cheminement, plus je comprends l'importance d'inspirer plutôt que de motiver. On définit l'inspiration comme un souffle divin et créateur. L'inspiration vient de l'intérieur, ce qui signifie que nous avons tous le potentiel nécessaire à la réalisation de nos rêves. Par contre, pour certains, ce potentiel est bloqué. Il n'a pas eu l'occasion d'émerger, de se révéler dans toute sa splendeur et son unicité. Ça me rappelle une formation en psychothérapie où on nous parlait du « roc d'être », cette partie située à l'intérieur de nous (qu'on pourrait aussi appeler l'âme) contenant toutes nos potentialités. L'auteur Richard Bach a dit : « Si vous avez un rêve, c'est que vous avez la possibilité de le réaliser. » Alors, qu'est-ce qui nous en empêche ?

Il était une fois un petit garçon qui adorait dessiner. Un jour, il fit un dessin en classe qu'il dut aller présenter à ses camarades. Prenant son courage à deux mains, parce qu'il était terriblement gêné, il se dirigea péniblement vers le devant de la classe. Lorsqu'il montra son œuvre, les élèves éclatèrent de rire. Le petit garçon retourna à sa place sur-le-champ et se fit la promesse de ne jamais dessiner de nouveau. Puisqu'on avait ri si méchamment de son dessin, il en conclut qu'il n'avait aucun talent.

Quelques années plus tard, le petit garçon devenu adulte était propriétaire d'une galerie d'art. C'était plus fort que lui. Il était continuellement attiré par ce médium artistique. «*Quelle ironie*», pensez-vous? Pas du tout. Ce talent faisait intrinsèquement partie de lui, mais il l'avait volontairement bloqué. Ne lui permettant pas d'émerger et de se révéler à sa pleine mesure, il se retrouvait à travailler dans un monde parallèle à celui auquel son âme était destinée.

Et si, comme l'a énoncé Richard Bach, nos rêves étaient en fait des visions de notre avenir? C'est souvent la question que je me pose lorsque je visualise. Est-ce vraiment l'*ego* qui pense qu'il attirera à lui la réalisation de ses désirs par ces méthodes à succès, ou ne serait-ce pas l'âme qui connaît l'avenir potentiel et qui nous en donne un aperçu par le biais de ces mêmes désirs?

Plus j'avance dans ma quête, plus je penche pour la deuxième option. C'est ce qui expliquerait d'ailleurs l'immense pouvoir de cette fameuse loi de l'attraction. En admettant qu'un désir soit un appel de l'âme, il ne resterait qu'à lui permettre de se manifester. Permettre signifie pour moi *lâcher prise et se défaire de tout ce qui nous entrave*. Ce qui revient à dire que notre seule mission consisterait donc à nous connaître (ou reconnaître) pour découvrir les désirs de notre cœur et non ceux de l'*ego*.

Le bonheur pour moi se situe dans la pureté de l'âme, dans l'authenticité de l'être et dans le moment présent. Si nous parvenions à nous reconnecter à notre source, nous serions alors au niveau de l'inspiration, cet endroit où tout se manifeste plus rapidement et facilement. Alors, comment fait-on pour entreprendre ce chemin du retour vers soi ? Je pense que plusieurs pistes peuvent nous y aider. Je vous en offre quelques-unes…

Vous souvenez-vous de ce que vous aimiez quand vous étiez petit ?

> *« Je suis étonné de constater que la plupart des gens ne se rendent pas compte qu'il n'y a plus de parents pour les surveiller. »*
>
> – ALEXANDRE JARDIN

Quels étaient vos rêves à cette époque ? Pour ma part, je me souviens de ma soif de liberté. Je voulais voler de mes propres ailes. J'avais hâte que la vraie vie commence. Je voulais devenir une adulte, pensant que c'était l'unique solution à ma quête. Je me disais que ce serait alors fort agréable de ne plus avoir à écouter les directives de mes parents ou des adultes en position d'autorité. Je m'étais même fait une promesse. Lorsque j'aurais quitté le nid familial, le premier geste que je ferais pour célébrer pleinement ma liberté serait de manger de la crème glacée au petit-déjeuner !

Malheureusement, ce n'est que dernièrement que je m'en suis souvenue. Ça faisait déjà bien des années que je ne vivais plus avec mes parents et je n'avais même pas encore mangé de crème glacée pour le petit-déjeuner. Cela me prouvait à quel point j'étais vraiment devenue une adulte sérieuse ayant oublié ses désirs d'enfant. Grâce à une femme (devenue une amie aujourd'hui) qui avait assisté à l'une de mes conférences où je racontais cette anecdote, je me fis servir de la crème glacée à 8 h 40 un dimanche matin en ondes à *Salut, Bonjour week-end !* Avec ce simple geste, je ne goûtais pas seulement la douceur de la crème glacée, mais j'avais ouvert une brèche dans un pan de ma vie. Je venais de raviver une étincelle…

En observant les enfants, je suis toujours étonnée de constater leur facilité à s'émerveiller devant toute chose et à s'amuser de presque rien. Je pense que nous aurions tout intérêt à suivre leur exemple et à profiter davantage de ce que la vie nous offre. Sortons jouer dehors, soyons plus spontanés, plus ouverts à la vie, assurons-nous de rire un peu plus et surtout, laissons-nous émerveiller.

Heures heureuses de l'enfance

Pour vous aider à vous rebrancher davantage sur votre enfant intérieur, je vous suggère de vous procurer un objet qui vous rappellera une période heureuse de votre enfance. Ce pourrait être une photo de vous entre 5 et 10 ans. Laissez cet objet ou la photo dans un endroit où vous le verrez souvent, pour vous souvenir du temps de l'enfance, comme d'une sonnerie d'éveil au droit de vous amuser qui n'aurait jamais dû vous quitter. Ce faisant, vous pourriez également être surpris des souvenirs qui remonteront à la surface... Vous aurez alors des pistes (ou étincelles...) pour vous guider sur le chemin de l'authenticité et vous pourriez même découvrir votre mission personnelle.

Un ménage payant

« Sortez du désordre, trouvez la simplicité. »

– Albert Einstein

Avez-vous déjà remarqué comme on se sent bien après avoir nettoyé et mis de l'ordre dans nos affaires ? C'est comme si on nous enlevait un poids. Il paraît que mettre de l'ordre dans notre maison (ou ailleurs), d'une certaine façon, revient à le faire à l'intérieur de soi. Le désordre matériel peut facilement encombrer notre esprit.

Le fait d'astiquer et de ranger nous procure un sentiment de maîtrise de notre vie. On a l'impression de reprendre le contrôle. On se sent prêt pour du neuf. Et on dirait que c'est à ce moment-là que la créativité apparaît. Pourquoi? Parce que nous avons créé un espace. C'est un des principes de la prospérité. Pour attirer davantage ce à quoi nous aspirons, il faut d'abord libérer certaines choses afin d'être moins encombré.

Je vous propose donc de faire un brin de « ménage »... Je vous offre un petit truc que j'ai appris dans un livre (évidemment!) : faites le tour de chaque pièce et, pour chaque objet qui s'y trouve, demandez-vous si vous le trouvez beau ou utile. Si ce n'est pas le cas, débarrassez-vous-en! Profitez-en pour mettre de l'ordre dans vos affaires. Vous permettrez à l'énergie de mieux circuler et d'attirer plus rapidement ce que vous désirez.

Vous pourriez faire le même exercice pour ce qui est de vos relations. Demandez-vous quelles sont les personnes qui ont confiance en vous et vous soutiennent dans vos projets. À l'inverse, déterminez ceux qui sont pour vous des « briseurs de rêves ». Vous savez, ces gens qui, lorsque vous leur parlez de vos rêves, trouvent toutes les raisons menant à l'échec de leur matérialisation. Après avoir reconnu vos guides ou inspirateurs, prévoyez plus de temps en leur compagnie et évitez d'être trop souvent avec les briseurs de rêves.

Par ailleurs, je lisais que nous aurions intérêt à ne pas trop parler de nos désirs dans le récent ouvrage *Votre pouvoir invisible*, de Genevieve Behrend. Cette auteure affirme que le fait d'en parler à plusieurs personnes peut en diminuer la force de manifestation. Elle fait le parallèle entre les problèmes ou difficultés qu'on nous suggère de confier à des thérapeutes pour en amoindrir les effets négatifs et leur enlever du pouvoir. Si nous divulguons la teneur de nos désirs à tous les vents, nous risquons d'avoir à affronter des briseurs de rêves qui, inconsciemment et de façon pernicieuse, pourraient réussir à nous influencer négativement.

Devant un changement de vie souhaité ou pour amorcer une quête d'authenticité, il pourra s'avérer très payant de débuter cette transformation par un grand ménage. Vous pourriez même découvrir des trésors… et ressentir un vent de renouveau poindre à l'horizon…

Un dîner au sommet !

« Ose devenir qui tu es. »

– André Gide

Un jour, quelqu'un m'a posé la question suivante : « Si vous pouviez convier trois personnes de votre choix (mortes ou vivantes, célèbres ou non) à dîner, qui inviteriez-vous et pourquoi ? »

Je trouvais fascinant de pouvoir m'imaginer en train de discuter avec ces personnes, leur posant les questions qui me tiennent à cœur. En poursuivant ma réflexion, je me suis dit qu'il s'agissait d'une excellente question pour apprendre à mieux se connaître. Dans votre réponse, vous découvrirez vos intérêts et probablement même des traits de caractère que vous possédez déjà ou encore des « possibles » pour vous. Je crois que nous admirons souvent chez les autres ce que nous avons la possibilité de développer. Par exemple, un artiste qui s'ignore et ne permet pas à son talent d'émerger au grand jour sera tenté d'inviter un artiste reconnu et admiré.

Si vous passez des entretiens d'embauche, vous pourriez poser cette question à vos candidats. Vous les sortirez alors de leur zone de confort et aurez un aperçu de leur personnalité ou de leurs potentialités.

Et vous : « Qui inviteriez-vous à dîner ? » Lorsque vous y aurez répondu, posez la question autour de vous. Vous en apprendrez davantage sur les gens qui vous entourent et vous aurez là un beau sujet de discussion !

Il y a un cadeau pour vous

« Préparez votre esprit à recevoir ce que la vie a à vous offrir de mieux. »

– Ernest Holmes

Lorsque je m'apprête à donner une conférence, je fais une courte prière en guise de préparation. Je demande alors à être inspirée à dire aux gens ce qu'ils ont besoin d'entendre. Chaque fois, je suis étonnée par l'efficacité de cette intention. Avec toutes les lectures que je fais, j'ai des tas d'histoires que je peux raconter pour illustrer mes propos. Mais en faisant cette prière, je sais que celles que je choisirai auront une mission particulière pour certaines personnes. Et c'est immanquable. Chaque fois, on vient me voir ou m'écrit après la conférence à propos d'un sujet qu'on a trouvé particulièrement touchant. Alors, chaque fois, je dis merci et je m'émerveille devant la perfection de la vie si on lui donne la chance de se manifester.

Aujourd'hui, je sais que dans toute expérience, positive ou négative, se trouve un cadeau. Mais pour le reconnaître et en retirer les bienfaits, il faudra demeurer ouvert. Il faudra encore une fois « permettre » au cadeau de se manifester.

Laissez-moi vous faire une proposition… Lorsque vous assistez à une conférence, lorsque vous lisez un livre ou regardez un film, soyez réceptif au cadeau qui s'y trouve pour vous. Pour être réceptif, vous devrez être complètement présent et en état d'ouverture. Et là, vous découvrirez à quel point la vie peut être tout simplement magique. Un nouveau monde s'ouvrira devant vous. Vous aurez alors accès aux réponses dont vous avez besoin pour poursuivre votre cheminement.

Plus vous avancerez sur le chemin de l'authenticité, plus vous développerez votre intuition. N'hésitez pas alors à utiliser ces signes pour vous mettre en action. L'Univers vous envoie des messages ! Faites des expériences et vous découvrirez encore plus qui vous êtes et vous augmenterez votre estime de soi.

Comme on dit, le bonheur ne doit pas seulement se retrouver dans la destination, on doit profiter du chemin, de chaque étape tout au long du parcours. Célébrez la vie, vivez chaque moment intensément, dans l'amour et la gratitude. Vous êtes l'œuvre la plus grandiose et unique qui soit. Tout ce que vous avez à faire, c'est d'en devenir conscient. Plus vous vous connecterez à votre source, plus vous irez sonder les désirs de votre cœur et plus vous permettrez à la loi de l'attraction de faire son œuvre.

Je crois que la meilleure façon de permettre la manifestation de nos rêves et d'une vie heureuse consiste à nous reconnaître et à guérir nos blessures.

Plus nous arriverons à nous défaire de nos fausses croyances et de nos mauvaises programmations, plus nous enlèverons nos masques de protection, plus nous retrouverons l'essence même de ce que nous sommes. Nous permettrons ainsi à la magie de la vie de se manifester par nous et, par effet de boucle, nous en récolterons de nombreux bénéfices. De plus, nous deviendrons des modèles d'espoir et de réalisation de soi. En étant le meilleur de nous-même, nous inspirerons les autres à en faire autant. C'est le plus beau cadeau que nous puissions offrir.

Secrets d'une centenaire

Je terminerai en vous partageant le message d'une dame qui fut pour moi une inspiratrice. Lorsque ma grand-mère Michaud a eu 100 ans, je suis allée la voir pour lui demander le secret de sa longévité. Elle m'a dit qu'il résidait pour elle dans trois facteurs :

1. Elle avait toujours fait ce qu'elle aimait dans la vie, sinon appris à aimer ce qu'elle faisait.

2. Elle avait toujours eu beaucoup de gratitude pour ce qu'elle avait, ce qu'elle vivait, les gens qu'elle côtoyait.

J'étais alors plutôt impressionnée par ses réponses et vous vous imaginez bien comme j'avais hâte d'entendre le 3e élément secret de sa longévité… C'est alors qu'elle me dit avec un petit sourire…

3. La graine de lin!

Elle en prenait effectivement tous les matins.

Cette grand-maman demeurera toujours pour moi un magnifique modèle. Et je me souviens d'elle comme d'une femme élégante et avant-gardiste, une mélomane, une oratrice éloquente, et surtout une femme qui aimait la vie. D'ailleurs, ces dernières années, chaque fois que je l'ai vue, c'est ce qu'elle me répétait: « C'est beau la vie! » Elle ferait assurément partie de mes trois invités à un dîner au sommet!

Peu importe ce que vous avez vécu jusqu'à présent, vous pouvez aujourd'hui laisser pousser vos ailes à nouveau, les déployer et reprendre votre envol. Rhonda Byrne, l'auteure du *Secret*, nous rappelle que le crayon est entre nos mains et qu'il n'en tient qu'à nous d'écrire notre histoire. Natasha Bedingfield, avec sa chanson « Unwritten », nous invite à vivre notre vie les bras grands ouverts. N'est-ce pas une merveilleuse façon d'en récolter les fruits? C'est la grâce que je vous souhaite du fond du cœur.

Mes suggestions de lecture pour vous :

« Je suis constitué de tout ce que j'ai lu. »

– JOHN KIERAN

ADRIENNE, Carol. *Votre mission de vie. Comment trouver votre place dans le monde grâce à l'intuition et à la synchronicité*, Montréal, Éditions du Roseau, 1999, 430 p.

BAN BREATHNACH, Sarah. *L'Abondance dans la simplicité. La gratitude au fil des jours*, Montréal, Éditions du Roseau, 1999, 749 p.

BEHREND, Genevieve. *Votre pouvoir invisible. La loi d'attraction. Le pouvoir de la pensée. La puissance de la visualisation*, Québec, Le Dauphin Blanc, 2008, 137 p.

BYRNE, Rhonda. *Le Secret*, Brossard, Éditions Un monde différent, 2007, 244 p.

CANFIELD, Jack et Janet SWITZER. *Le Succès selon Jack : pour vous rendre là où vous souhaiteriez être !*, Brossard, Éditions Un monde différent, 2005, 576 p.

COELHO, Paulo. *L'Alchimiste*, Paris, Anne Carrière, 2007, 252 p.

FISHER, Marc. *Le Millionnaire,* Paris, Pocket, 2000, 157 p.

GARAGNON, François. *Jade et les sacrés mystères de la vie*, Annecy (France), Éditions Monte-Cristo, 2002, 125 p.

HAY, Louise L. *Transformez votre vie*, Paris, Marabout, coll. « Marabout », 1999, 283 p. *Transformez votre vie* [enregistrement sonore], Varennes, L'Art de L'Apprivoiser – AdA Éditions, 2007, 2 CD (livre audio).

OZKAN, Serdar. *La Rose retrouvée*, Montréal, Les Intouchables, 2006, 205 p. [enregistrement sonore] Montréal, La Magnétothèque, 2007, 1 disque sonore : numérique. / Longueuil, Institut Nazareth et Louis-Braille, 2008, 3 v., 596 p. [en braille abrégé complet].

PONDER, Catherine. *Les Lois dynamiques de la prospérité* Brossard, Éditions Un monde différent, 1991, 380 p.

VITALE, Joe. *La Clé. Le secret manquant pour attirer tout ce que vous désirez,* Brossard, Éditions Un monde différent, 2008, 288 p.

WINTER, A.B. *La Grande Mascarade*, t. I, Montréal, Les Intouchables, 2007, 336 p. et aux éditions Un monde différent, 2008, en format de poche, 432 p.

Jiang Min

Femme d'affaires respectée et prospère dans un pays en plein essor économique, la Chine, Jiang Min nous raconte comment elle, simple fille de paysan, a réussi à émerger de la masse pour créer une entreprise florissante qui compte aujourd'hui plusieurs centaines d'employés. En effet, Jiang Min est PDG de l'entreprise Golden Shine Beauty et vice-présidente de China Hairdressing & Beauty Association (CHBA).

Depuis 1995, la compagnie de Jiang Min n'a cessé de prendre son essor, si bien qu'elle compte désormais 6 écoles, 50 salons de beauté, plus de 800 employés et au-delà de 100 franchisés.

Un milliard de compétiteurs

En mémoire des victimes du tremblement de terre de mai 2008

Introduction

J'ai visité Montréal pour la première fois en 2006. Ma surprise initiale a été de ne voir presque personne sur les trottoirs, alors qu'il y avait tant de voitures stationnées partout dans les rues ! Tout me semblait tellement tranquille ! En Chine, dans les villes, il y a toujours des gens qui marchent ou font du vélo, et les voitures sont toujours en mouvement. Quel contraste !

J'ai eu le bonheur d'aller faire du ski à Tremblant, de magasiner dans le Vieux-Québec et de me promener sur la rue Laurier à Montréal. Au Canada, j'ai aussi visité Toronto et Vancouver. J'y ai vu des gens imprégnés de confiance et de sérénité. J'ai eu cette impression que la vie était paisible, qu'il y avait peu d'adversité.

Pour comprendre la différence, il faut s'imaginer en Chine avec plus d'un milliard de population – tous des individus désireux d'augmenter leur niveau de vie, dans une véritable course à l'entrepreneuriat ! Si on veut gagner en Chine, il n'y a tout simplement pas de place à l'hésitation. Et il n'y a pas de filet de sécurité !

En affaires, les Chinois disent : « Si tu marches lentement, tu as déjà perdu ; si tu marches vite, quelqu'un te dépassera ; si tu veux réussir, il faut courir ! » Et c'est ce qui se passe. On est à l'affût des occasions d'affaires. Quand on en trouve une, on passe à l'action le plus vite possible.

Connaître l'adversité

Je suis née à Kunshan, au début des années 1970. J'étais la deuxième d'une famille de trois enfants – c'était tout juste avant l'établissement de la politique de l'enfant unique. Mon père, un homme de Shanghai, avait été envoyé en campagne au cours de la grande réforme agraire de Mao Zedong. C'était une époque très dure. Les paysans d'origine gardaient pour eux les meilleures terres.

Les citadins ne connaissaient pas l'agriculture et arrivaient à peine à subsister. Nous devions régulièrement emprunter pour pouvoir manger. Je me souviens du plancher de notre maison qui était en terre battue. Malgré tout, nous étions heureux, appréciant le plaisir des choses simples de la vie. Ma sœur aînée s'occupait beaucoup de moi et mon frère nous faisait toujours rire. J'aimais beaucoup aller pêcher le crabe d'eau douce avec mon père, en plein milieu de la nuit, dans une petite chaloupe. Le crabe de Kunshan est vraiment le plus savoureux que je connaisse! Une spécialité locale.

Mon père nous racontait des histoires de l'invasion japonaise, alors qu'il était encore petit, et qu'il côtoyait les soldats armés dans les rues de Shanghai. Très tôt, il a dû apprendre à s'adapter. Il a connu la guerre, la révolution et de nombreuses réformes. Malgré les périodes difficiles, mon père a constamment su prendre la vie du bon côté et garder le sourire. J'ai toujours beaucoup aimé mon père et ma mère. Je me suis toujours promis de bien m'occuper d'eux à l'âge de leur retraite.

Frappée par la maladie

À l'âge de 6 ans, j'ai été très malade. Les conditions de vie étaient difficiles et j'avais attrapé des parasites.

Il y avait peu de médicaments disponibles, et les médecins avaient annoncé à mon père que ma fin était arrivée, qu'il devrait me laisser mourir en paix. De retour à la maison, mon père et ma mère étaient tellement tristes et sans moyens. Mais mon père était persévérant, et il m'aimait plus que tout. Alors que j'étais devenue très faible, il parvint à trouver un médecin qui pouvait me sauver. Il m'amena à l'hôpital au beau milieu de la nuit.

Cet épisode de ma vie m'a vraiment marquée. J'aurais pu mourir, mais je suis toujours là. C'est peut-être pour cette raison que je trouve la vie trop courte, et que j'y suis tellement attachée. Il y a tant choses à faire, d'avenues à explorer. Et il y a tellement de gens à aider. Des gens pauvres, des enfants seuls ou malades. Je rêve toujours d'en faire plus.

En Chine, on retrouve des millions d'histoires comme celle-là. La mienne, au fond, n'est pas extraordinaire, mais elle m'a enseigné à puiser mon courage à même ma volonté. J'ai appris à voir l'adversité comme une source de motivation avant tout. Essayez de me dire que je serai incapable de faire quelque chose et vous verrez !

Par exemple, lorsque j'ai réalisé qu'il me fallait sérieusement apprendre l'anglais pour communiquer avec le reste du monde, j'ai redoublé d'efforts. Je me suis installée à Shanghai, et j'ai entrepris un programme d'apprentissage accéléré. Après quelques mois d'efforts quotidiens, le résultat était surprenant.

Composer avec l'adversité

Je crois qu'il ne faut pas avoir peur de l'adversité. Elle fait partie de la vie. On ne peut pas toujours gagner, mais on peut toujours essayer. Essayer vraiment. Faire des choix. Avancer vers un but, un pas à la fois. L'adversité n'est pas un obstacle qui nous empêche de passer, c'est seulement une étape, l'occasion de répondre aux questions essentielles :

« Est-ce que je veux vraiment y arriver ? Quels sont les choix que je dois faire pour réussir ? »

Le chemin du succès

En Chine, quand on démarre son entreprise, on n'a rien. On accepte de commencer à zéro. En tout cas, il y a une douzaine d'années, c'était la réalité. Je me souviens d'un représentant du gouvernement qui nous vantait les mérites de se lancer en affaires tandis que j'étais assise dans le parc. On était loin d'un cours en administration à l'université. Mais on comprenait l'essentiel : Développez vos propres revenus ! Apprenez à accroître votre autonomie !

Je sortais tout juste d'une mauvaise expérience de travail. Mes parents m'avaient trouvé un poste dans une usine. Travail répétitif, faible salaire. Environ 1 $

par jour. Je me souviens d'être allée au restaurant, pour constater que le salaire de ma semaine allait y passer. C'était sans issue. Je n'arriverais jamais à réaliser une vie épanouie de cette façon.

Alors j'ai quitté mon emploi abruptement ! Je me suis dit que je trouverais bien autre chose ! Mes parents étaient désespérés. Ils voulaient absolument que je retourne à l'usine. Ils commençaient à penser que je n'arriverais à rien de bien dans la vie. Je passais mon temps à ne rien faire. Je flânais près d'un petit salon de coiffure, me liant d'amitié avec les gens qui y travaillaient.

Alors voilà, tout d'un coup, j'ai décidé d'essayer. Un salon de beauté, pourquoi pas ? C'était ce que je voulais faire, après tout. Même si personne n'y croyait. Personne ne pensait que je pouvais arriver à gagner ma vie de cette façon. Il faut dire qu'à l'époque, les gens avaient peu d'argent. Personne ne pouvait se permettre des traitements rajeunissants ou relaxants. Qu'à cela ne tienne, plus on voulait me décourager, plus j'étais déterminée à réussir. Je ne voulais rien entendre.

Avec 100 $ en poche, empruntés à ma famille immédiate, j'ai acheté deux miroirs et deux chaises, et j'ai convaincu une amie de travailler pour moi. Nous avons commencé à offrir des services en coiffure et soins de beauté. Chaque client était pour moi une bénédiction, et était traité avec un maximum de considération. Je crois toujours que c'est la meilleure recette. Elle m'a permis de développer une clientèle fidèle et de plus en plus vaste. Après un an, en 1995, ma première boutique comptait déjà une quinzaine d'employés. J'avais à peine 20 ans !

Mon entreprise, Golden Shine, possède aujourd'hui 50 salons de beauté, 6 instituts et une centaine de franchisés à la grandeur de la Chine. Avec 800 employés et 8 000 étudiants finissants par année, Golden Shine joue aujourd'hui un rôle important dans le développement de l'industrie des soins de beauté en Chine. C'est la première entreprise en importance de son industrie dans toute la province du Jiangsu (population de 50 millions), et la première en importance en Chine pour les instituts privés de beauté. Et l'entreprise est en pleine croissance !

Qu'est-ce qui a fait la différence ? Tout au long de ma carrière, je ne me suis jamais arrêtée pour contempler mon succès. J'ai voyagé autant que j'ai pu. J'ai étudié autant que j'ai pu. J'ai toujours essayé de comprendre où dans le monde quelqu'un faisait mieux que moi, et comment il y arrivait. Puis je réfléchis constamment à ce que moi, je peux faire mieux. Un jour, un bon ami me faisait remarquer que c'était cela, développer une vision.

S'acharner devant l'obstacle

Alors que je m'occupais d'une seule boutique, je lisais beaucoup de magazines de mode. J'étais fascinée par ce qui se passait en Europe et en Amérique. Ça ma donné l'idée d'ouvrir d'autres boutiques. C'était une idée très excitante ! Mais le gouvernement local ne le voyait pas du même œil.

Kunshan était encore une petite ville, pas très à jour en ce qui concerne les règles commerciales. Les fonctionnaires ne comprenaient tout simplement pas : Comment un seul patron pouvait-il s'occuper de deux boutiques ? Ils refusaient d'émettre le certificat. Il m'a fallu des mois d'acharnement pour résoudre la difficulté administrative et démontrer aux fonctionnaires que c'était possible.

Ces difficultés m'ont quand même apporté plusieurs bonnes idées. J'ai compris que pour aller plus vite encore, il me fallait plus de reconnaissance professionnelle. En 1996, je suis donc partie six mois en Malaisie, pour suivre une formation en soins de beauté, donnée par le CIDESCO (Comité International d'Esthétique et de Cosmétologie), un organisme européen reconnu internationalement. À la fin de l'année suivante, j'avais déjà 5 boutiques, et en 1999, j'atteignais le cap des 10 boutiques !

J'aurais pu m'arrêter là, mais quelque chose m'agaçait. Notre principal problème était le recrutement de personnel. Il était très difficile de trouver des employés qualifiés. On passait beaucoup de temps à faire de la formation. Obstacle ou occasion ? Il était clair que je ne lâcherais pas le morceau avant d'avoir résolu cette impasse. C'est ce qui m'a amenée à ouvrir mon premier institut de beauté, dans la grande ville de Suzhou (population de 6 millions). Le succès a été si important qu'il m'a amenée à représenter la Chine au « Hair World 2000 » (Mondial Coiffure) en Europe, et à être nommée « Star Entreprise of Chinese Hair & Beauty Association » [Entreprise vedette de l'Association de coiffure et soins de beauté] en 2004. L'entreprise comptait alors 6 instituts et 30 boutiques.

Suffisant ? Peut-être. Néanmoins de nouveaux sujets me passionnaient de plus en plus. Je regardais du côté de l'Amérique. J'essayais de mieux comprendre comment les entreprises les plus performantes arrivaient à croître rapidement. J'ai pris connaissance des systèmes de franchise, et j'ai mis sur pied un programme qui, au début, malgré un succès apparent, ne donnait pas les résultats escomptés.

C'est à ce moment-là que je me suis installée à Shanghai, et que j'ai entrepris de front le programme EMBA (maîtrise en administration pour gens d'affaires) de l'Université de Fudan (Shangai) et un programme de perfectionnement de l'anglais. J'ai aussi fait des voyages au Japon, en Australie et en Amérique, qui m'ont permis de parfaire ma stratégie. Après de nombreux efforts pour améliorer le programme de franchise, Golden Shine a finalement réussi à franchir le cap des 100 franchisés.

Tout au long de ces années passées à développer mes entreprises, de nombreuses personnes ont tenté de me décourager ou de me faire concurrence. Ça n'a aucune importance, puisqu'on peut toujours trouver des solutions, un nouveau chemin. C'est ce qui me pousse à aller plus vite et plus loin. Plusieurs fois, des employés ont quitté pour ouvrir leur propre boutique. Chaque année, 8 000 étudiants sortent de mes instituts, et plusieurs rêvent de faire la même chose. Et c'est merveilleux, parce que nous devons toujours nous adapter et être plus compétitifs. De plus en plus, les entreprises occidentales arrivent en Chine et convoitent le même marché que nous. Mais nous sommes prêts. Vous verrez !

D'ailleurs, je perçois de plus en plus mon industrie comme un tout, et je fais de mon mieux pour contribuer à son succès. Plus nous serons en mesure de développer les forces de notre industrie, meilleur sera le développement de chaque entreprise. C'est ce qui m'a amenée, en 2005, à devenir vice-présidente de la Chinese Hair & Beauty Association, située à Pékin. Chaque fois que j'en ai l'occasion, j'essaie de développer des liens commerciaux avec le reste du monde, en accueillant les délégations étrangères et en organisant des événements annuels. En 2007, Golden Shine a organisé le concours international de Miss Monde pour le Jiangsu, événement qui s'est clôturé en Chine, à la paradisiaque île de Hainan.

Réussir en Chine, réussir partout!

Il arrive qu'on me demande le secret de ma réussite. Je crois que chaque personne doit trouver son chemin. Mais quand je regarde en arrière, il y a quand même quelques règles qui méritent d'être dites, que j'ai découvertes d'instinct.

Faire ce qu'on aime

Tout d'abord, je crois qu'il faut faire quelque chose qu'on aime vraiment. Pour moi, c'est venu assez facilement. Pour d'autres, cela demande plus de réflexion. Une chose est sûre, il devient beaucoup plus facile de faire des choix et de se consacrer à sa réussite quand on baigne dans un environnement qu'on aime et qu'on organise des activités qui nous passionnent.

S'entourer rapidement

Je crois qu'il faut être rapide et efficace pour s'entourer. Je ne connais personne qui ait réussi sans savoir s'entourer. Il vaut mieux faire plus de sacrifices à court terme, sur le plan individuel, pour arriver à engager du personnel, et utiliser le mieux possible les talents de tout le monde. Je n'aurais jamais réussi à positionner

Golden Shine comme je l'ai fait sans l'appui et le dévouement de mon personnel.

Persévérer

Il faut assumer ses rêves. Peser le pour et le contre indéfiniment ne rime à rien. En Chine, si vous prenez trop de temps à vous décider, les résultats seront médiocres. Surtout, il faut voir l'adversité comme une source de motivation, ne pas avoir peur d'essayer, et essayer encore. Il faut discerner les problèmes de courte portée des véritables problèmes d'ordre stratégique. Ce sont ces derniers qui, une fois résolus, vous donnent un avantage important sur la concurrence.

L'approche client

Depuis mes débuts, mes clients sont aussi devenus mes complices. J'ai appris à discerner les meilleurs, les plus fidèles. Ceux qui appréciaient le plus nos services et les raisons de leur satisfaction. J'ai très rapidement orienté ma mise en marché en ce sens. J'offre à mes bons clients de nombreux services supplémentaires, de meilleurs prix, des conseils et des activités spéciales, telles que des soirées de cocktails à la marina ou dans d'autres endroits chics.

Savoir être impatient!

Bien sûr, il faut être impatient! Parce que pour faire avancer les choses, le sentiment d'urgence est très efficace. Vous aurez compris que la patience aussi a sa place, mais il me semble que les gens ont plus de difficultés à se montrer impatients de façon constructive. C'est tout à fait normal d'être impatients pour les bonnes raisons et d'arriver à rallier les troupes.

Motiver le personnel

Mon entreprise œuvre dans un domaine de service à la clientèle. Très tôt, j'ai constaté qu'il faut un personnel souriant et confiant pour réaliser des ventes. Pour moi, chaque salon représente une petite équipe qui doit être motivée. Chaque équipe vit des hauts et des bas. Et les ventes suivront cet état d'esprit! Il ne faut pas sous-estimer l'impact d'un petit discours ou d'un geste personnel à l'occasion. Une approche axée sur de réelles émotions a toujours très bien fonctionné pour moi.

Gérer le niveau de risque acceptable

En Chine, l'entreprise privée a en moyenne moins de 3 ans d'existence. Pourtant, les entreprises privées existent depuis une bonne quinzaine d'années. C'est qu'il y a beaucoup d'entreprises en démarrage, et peu de firmes qui ont franchi l'épreuve du temps. La raison en est fort simple. C'est souvent une question de savoir gérer un risque acceptable pour l'entreprise.

Ainsi, j'ai toujours favorisé le développement de l'entreprise par la créativité plutôt que par l'utilisation de leviers financiers ou autres. Pour moi, il n'est pas nécessaire de chercher la croissance à tout prix. Et ce n'est certes pas l'argent qui est le facteur le plus important. En clair, plus votre entreprise s'appuiera sur ses forces pour se développer, moins elle sera à risque.

En terminant

Quand j'ai parlé à mon père d'aller au Canada, il m'a dit qu'il connaissait bien l'histoire du Dr Henry Norman Bethune, un médecin canadien qui a combattu et est mort aux côtés des forces révolutionnaires, en aidant le peuple. La plupart des Chinois connaissent cette histoire. Mais en réalité, les Canadiens et les Chinois se connaissent très peu.

J'ai beaucoup appris de mes voyages au Canada, un pays qui a une position toute particulière en Amérique du Nord. À chaque voyage, je m'efforce de trouver des gens qui font mieux que moi. Je veux comprendre comment. Je me permets de rêver à ce que je pourrais faire de mieux. Puis, tout naturellement, j'intègre ces idées à ma vision.

Peut-être que cette approche saura vous inspirer. Quoi qu'il en soit, c'est à vous de jouer!

Jimmy Sévigny

Jimmy Sévigny a cru, il y a quelques années, que sa dernière heure était venue. Tout au long de sa jeunesse, il a suivi un parcours qui, apparemment, semblait le mener nulle part, sinon à l'échec suprême : la mort. Ce bachelier en sciences de l'activité physique, maintenant passionné par un mode de vie sain et actif, et par l'importance de l'éducation physique, nous raconte avec

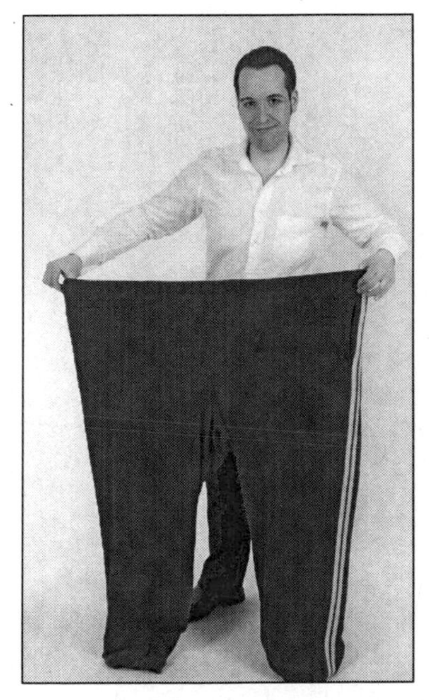

humour et émotion sa sortie de l'obésité morbide et l'intégration, dans son quotidien, du conditionnement physique et de saines habitudes de vie.

Découvrez une personne menée par l'ambition, décidée à repousser ses limites au maximum en vue d'atteindre ses buts. Un homme renforcé par la détermination de ses choix de vie.

Choisissez votre destinée !

Permettez-moi dès maintenant de vous demander d'arrêter votre lecture pour les 13 prochaines secondes. Il vient de s'écouler 13 secondes. Mais que représentent au juste 13 secondes dans toute une vie ? Pourtant, ce sont 13 secondes qui ont été décisives, qui ont bouleversé le cours de ma vie. Pourquoi ? Parce que ce fut le temps pendant lequel mon cœur m'a signifié qu'il n'était plus capable de s'occuper de mon corps qui, lui, pesait 205 kilos.

Des secondes bouleversantes

Je vous garantis que ces 13 secondes m'ont permis à moi, Jimmy Sévigny, d'engendrer un changement, un bouleversement dans ma façon de penser, dans ma façon de revivre. Laissez-moi vous raconter mon histoire, l'histoire où je réalise qu'on est tous libres, vous comme moi, de choisir sa propre destinée !

À la base, j'étais comme n'importe quel enfant, c'est-à-dire dépourvu de toute connaissance ou habitude de vie. Quand on vient au monde, tout ce qu'on veut inconsciemment, c'est apprendre. Par contre, les habitudes de vie qui nous sont inculquées dans notre prime jeunesse tracent notre portrait de demain !

J'entrai en contact avec la réalité du monde dès la 2e année du primaire. Connaissez-vous le jeu « Roule la boule » ? Pour être honnête, moi non plus je ne le connaissais pas, jusqu'à ce que je devienne la boule. Le jeu consistait tout simplement à me rentrer dedans le plus férocement possible pour me faire tomber ; ensuite, on s'amusait à me faire rouler.

« Roule la boule ! » Tout le monde se moquait de moi, à quelques exceptions près, sans que je comprenne pourquoi. Déjà à 11 ans, avec un poids de 114 kilos, j'avais essayé tous les régimes existants, mais rien n'avait fonctionné. De plus, vu mon état d'asthmatique, j'étais incapable de courir, j'avais de la difficulté rien qu'à marcher et j'étais la proie naturelle du jugement social.

Déjà, on me répétait que je n'accomplirais rien de bon dans la vie, que j'étais né pour devenir un « gros BS » et vivre de l'aide sociale pour le reste de ma vie.

Je suis certain qu'il vous est déjà arrivé de vous sentir à part des autres, à un moment ou l'autre de votre vie. Pour moi, être « à part », c'était la normalité ! Donc, avec ce bagage émotionnel et ma charpente de 114 kilos, je devais essayer de continuer à avancer dans la vie.

Bouffon à mes dépens

Arrivé au secondaire, les choses ne se sont pas améliorées. Pour m'attirer la sympathie des gens, j'ai adopté le rôle du clown, de celui qui veut toujours faire rire les autres, même à son détriment. De cette façon, je venais de m'acheter une certaine forme de « paix intérieure ».

À 16 ans, je pesais 182 kilos et je n'attendais plus rien de personne. J'étais tellement à part des autres que je m'étais formé une carapace. Une carapace de 182 kilos. Quand on a 16 ans et que l'on pèse 182 kilos, la carapace est assez épaisse, à tel point qu'on se fout de tout, de tout le monde, même de la vie !

Je me souviendrai toujours de ma première automobile : une Ford Festiva ! Je ne pouvais même pas la conduire, car j'étais trop obèse. J'ai dû faire adapter mon siège pour être en mesure de conduire. Je croyais que mon cas était peine perdue quand tout à coup, à 18 ans, quelqu'un m'a parlé d'une opération, la dérivation gastro-intestinale ou gastro-jéjunale, qui me permettrait de perdre jusqu'à 45 kilos par an sans avoir à modifier mes habitudes de vie. J'étais vraiment emballé à l'idée de sortir de cette prison de graisse. J'ai donc pris un rendez-vous.

Trois mois plus tard, je me présente à l'hôpital. Lorsque le médecin m'a vu rentrer dans son bureau, il a dit : « Hé *taboy*, embarque sur le pèse-personne ! » Je pesais 205 kilos. Le médecin m'a regardé et m'a dit : « Nous n'avons pas le choix, nous allons te placer en liste d'urgence. » Wow ! Enfin ! Ma vie allait changer. Je lui demande : « C'est pour quand l'opération ? » Il me répond : « Dans cinq ans. »

« *Cinq ans.* » Laissez-moi vous dire qu'après avoir entendu cela, j'étais complètement démoli. Le médecin, en me voyant, m'a dit : « Il faut te faire opérer ! Regarde-toi ! Je suis certain que tu as tout essayé et que rien n'a fonctionné, tu n'as pas le choix d'attendre. »

Je lui ai demandé : « Est-ce qu'il y a des risques avec cette opération-là ?

– Bien sûr qu'il y en a ! On peut aussi bien t'endormir et tu ne te réveilleras jamais. On en perd un par semaine… »

J'étais complètement déboussolé. Vous savez, parfois dans la vie, on a l'impression que ça ne vaut même plus la peine d'avancer et que tout est terminé. Eh bien, à cette période de ma vie, je me sentais exactement comme cela : cinq ans avant de me faire opérer. Est-ce que j'allais tenir le coup ? Mon corps allait-il tenir le coup ? Je n'étais même plus capable de monter un escalier sans devoir arrêter aux deux marches pour souffler. Allais-je tenir cinq ans ?

À compter de ce moment-là, la situation a commencé à empirer. Je savais très bien que mon corps ne me permettrait pas de tenir aussi longtemps. À cette époque, j'avais un petit emploi qui me donnait une certaine confiance en moi ; or, un soir, on m'a signifié que j'étais désormais « trop gros » pour accomplir mes tâches. On allait me licencier. La seule chose à laquelle je tenais, mon emploi, risquait de ne plus faire partie de ma vie.

De retour à domicile, ce soir-là, j'avais espoir que ma mère ait préparé un mégafestin, car j'en avais besoin. On dit souvent qu'on « bouffe ses émotions » : j'étais prêt pour tout un buffet ! Quand je suis arrivé chez moi, j'ai plutôt trouvé ma mère en larmes, complètement abattue. Ma grand-mère venait de décéder. Tout m'arrivait en même temps. Avez-vous déjà atteint le fond du baril ? Dans mon cas, je venais de plonger tête première dedans !

Il fallait que je sorte de la maison, je n'étais même plus capable de penser. J'ai appelé un ami et je lui ai expliqué qu'il fallait que j'oublie mes problèmes. Je me suis pointé chez lui avec toute la malbouffe que vous pouvez imaginer. Il y en avait pour 28 $. En revenant chez moi, j'avais encore soif et, surtout, encore faim. J'ai arrêté dans un restaurant-minute et j'ai commandé deux trios avec extra, bien entendu.

Le soir, au coucher, j'avais une drôle d'impression. Après avoir mangé cela, n'importe qui aurait eu une drôle de sensation, mais il ne s'agissait pas de ce genre de sentiment. À chaque battement de cœur, je sentais tout mon corps vibrer. Je sentais mon cœur. Ça cognait vraiment fort !

C'était l'impression que l'on ressent juste après avoir fait de l'activité physique intense, sauf que je n'avais fait aucun effort physique outre celui de manger comme un goinfre. J'écoutais le bruit de ce cœur qui n'en pouvait plus quand, tout à coup, plus rien. Je n'avais que 19 ans et mon corps venait de me dire : « La partie est terminée ! »

Ça vous est certainement déjà arrivé de dire « LA PARTIE EST TERMINÉE » devant un événement, un emploi. Je ne sais pas, le boulot n'est pas ce que vous pensiez, vous n'êtes plus capable. Vous ne vous entendez plus avec votre conjoint ou conjointe, vous voulez tout abandonner. Simplement tout lâcher. Mais là, vous commencez à regarder le problème en face, vous constatez qu'il y a toujours une solution, qu'il y a encore quelque chose à faire. Vous vous retroussez les manches et hop ! vous foncez et vous continuez, vous changez ce qu'il y a à modifier.

Mon corps venait de me dire : « C'est ici ta station, c'est le terminus. On débarque ici. » Moi qui n'allais nulle part, je venais d'arriver ! Mais pour être honnête, je n'étais pas prêt à débarquer. J'ai compris que ce n'était pas là que je voulais aller. Je me suis rendu compte que je voulais VIVRE, juste VIVRE. J'ai commencé à me débattre de toutes mes forces dans mon lit. Je me suis tellement débattu que j'ai fait un trou dans le mur, fait tomber la télévision par terre ; tout volait, d'un côté comme de l'autre, et j'en passe.

Après 13 interminables secondes, la vie m'a donné une seconde chance. Mon cœur a battu 20 fois en l'espace de 3 ou 4 secondes. Je me suis assis dans mon lit, je tenais ma tête entre les mains. J'étais en vie ! Ma porte de chambre s'est ouverte et ma mère paniquée, réveillée par le bruit, m'a demandé :

« Qu'est-ce qui s'est passé ?

– Rien, maman. Va te coucher ! C'est demain que ça commence !

– Qu'est-ce qui commence ?

– C'est demain que ça change ! »

À partir de ce moment-là, j'ai réalisé que Jimmy Sévigny, du haut de ses 205 kilos, allait devoir changer pour vivre. Si je vous ai raconté cette histoire, c'est pour vous prouver que peu importe le problème, il y a toujours une solution ! Pour arriver où j'en suis maintenant, j'ai dû franchir des étapes. Permettez-moi de vous présenter les cinq étapes qui m'ont amené à revivre tel le phénix qui renaît de ses cendres et qui me permettent, encore aujourd'hui, de réaliser mes rêves.

Première étape : Se faire un bilan

Je m'adresse à tous ceux qui veulent apporter un changement dans leur vie. Avez-vous déjà pris une heure de votre temps pour écrire ou simplement même penser à votre bilan personnel ? À ce que vous avez accompli jusqu'ici dans votre existence ?

La vraie question devrait être : « Suis-je prêt à dresser un bilan ? » En d'autres mots : « Suis-je prêt à passer du temps avec moi-même ? » C'est très important de savoir d'où on vient pour se faire une idée claire d'où on s'en va. Au moment de mon bilan personnel, j'ai constaté que ma vie n'était qu'un ramassis d'attitudes négatives, de déceptions et surtout… d'échecs. Et que ce beau gâchis était nourri, dans tous les sens du mot, par la peur.

Deuxième étape : Se fixer des objectifs

Mon objectif à moi était tout simplement de vivre : il faut être vivant avant de commencer à penser à accomplir quoi que ce soit. Afin d'atteindre ce but, je me suis mis à me fixer des objectifs réalistes… et accessibles.

Il ne faut pas placer la barre trop haut tout de suite, sinon on tombe et on se décourage. C'est un classique mais je vous le dis, il faut grimper les échelons un par un – et je préfère vous prévenir tout de suite, ce ne sera pas facile, parce que peu importe l'objectif, il y a toujours un prix à payer.

Ça peut être en temps, en énergie, en argent, mais il faut toujours y mettre le prix pour réussir, pour atteindre ses objectifs. Êtes-vous prêt à payer ce prix? Organiser votre vie professionnelle ou personnelle autour d'objectifs précis réalisables vous permet de prendre le contrôle et la responsabilité de vos besoins, sans rien laisser au hasard.

Levez-vous de bon matin et fixez-vous UN objectif réalisable pour la journée. UN SEUL, rien de trop gros: quelque chose de simple au début. Le soir, prenez un petit cinq minutes avec vous-même et regardez, analysez votre journée. Avez-vous atteint votre objectif? Oui, non, peut-être. Si vous ne l'avez pas atteint, ou tout à fait atteint, demandez-vous: «*Que dois-je changer? Que dois-je faire pour atteindre CET objectif?*» Le lendemain, réessayez. Il faut CROIRE en ses objectifs. Il faut les imaginer, il faut vous voir, vous visualiser LES atteignant.

Troisième étape : Le moins d'irritants possible

Pour réaliser des choses hors du commun, il faut savoir bâtir des murs. Donc, afin d'atteindre nos objectifs, il faut quelquefois faire le ménage dans nos habitudes et nos relations.

Dans notre entourage professionnel et particulier, il est possible que des gens nous apportent plus de négatif que de positif. On ne s'en aperçoit pas toujours rapidement – ou bien c'est un ami, un collègue de longue date, et on s'y est habitué.

Pensez-y, dans votre milieu, vous devez avoir ce genre de personnes qui vous empêchent d'avancer. Des personnes qui sont la plupart du temps négatives et qui minent toute votre énergie. Il y a ce type de personnes dans tous les milieux. Pensez un peu à la quantité d'énergie souvent gaspillée que vous pourriez sauver et investir ailleurs.

Changer ses habitudes

En ce qui me concerne, j'ai dû mettre tous mes amis de côté pour réussir, et laissez- moi vous dire que ça n'a pas été facile. Imaginez un peu : je devais être entouré de gens pour vivre, et je n'avais pas plus d'amis qu'il le fallait. Mais notre style de vie commun ne m'aidait pas à atteindre mon nouvel objectif. J'ai dû prendre le téléphone et leur dire, un après l'autre : « Les gars, vous êtes mes meilleurs amis, *mes seuls amis*, mais pour les six prochains mois, je ne veux plus vous voir ! »

Du jour au lendemain, je me suis retrouvé seul. Je venais de me construire un mur de briques, une carapace NÉCESSAIRE, pour pouvoir atteindre mon nouvel objectif. Je m'assurais que plus rien n'allait passer ce mur pour me détourner de ma voie. Plus un commentaire négatif, plus une remarque blessante, plus rien. La Grande Muraille de Chine autour de Jimmy Sévigny. J'étais prêt à foncer.

Quatrième étape : Y aller petit à petit

Une fois que l'on a fait son bilan, que l'on s'est fixé des objectifs à notre portée et que l'on a mis de côté tout facteur nuisible à la réalisation de nos rêves, il ne nous reste qu'à foncer. C'est simple, non ?

Eh bien, dans mon cas, foncer n'a pas été facile. Il fallait premièrement que je sorte de mon confort. Ma « zone de confort ». Est-ce que cela vous dit quelque chose, la ZONE DE CONFORT? Si je comparais cela à la température ambiante, ce serait la zone dans laquelle on est PARFAITEMENT BIEN, où on est le plus à l'aise. Il ne fait ni trop chaud ni trop froid. C'est la zone où l'on se sent si bien, que cela ne nous donne ABSOLUMENT RIEN d'y changer quoi que ce soit.

Pour nous, la zone de confort, c'est là où l'on ne risque rien, notre petite routine étant bien établie.

Souvent, dans notre vie personnelle ou professionnelle, on voudrait changer des choses, mais sitôt qu'on ressent une petite menace, un petit courant d'air susceptible de déranger notre train-train quotidien, on y renonce. Or, on doit absolument se changer soi-même pour que les conditions qui nous entourent changent !

Après avoir accepté de sortir de ma zone de confort, j'étais tel un coureur de formule 1 sur la ligne de départ. Sauf que je ne savais même pas dans quel sens partir. Ce n'était pas évident pour moi. Je devais travailler sur deux aspects de ma vie : l'alimentation et mon style de vie. Le moins évident : l'alimentation ! Surtout quand on constate qu'on ne sait rien de ce qu'on mange.

J'ouvrais le réfrigérateur et chaque aliment me faisait peur, même la laitue iceberg ! Je la regardais et je me disais : « *Il me semble que tous les gens qui mangent de la laitue iceberg sont gros ; je ne peux pas manger ça, je vais encore grossir.* » J'ai donc commencé à fouiller et à me renseigner sur l'alimentation. Plus je me renseignais, plus j'y puisais de l'intérêt. Mais c'était bien beau lire, ça ne me faisait pas maigrir. Il fallait que je trouve une activité qui me ferait bouger.

J'ai opté pour la natation en me disant que ce serait si facile de perdre du poids, car dans l'eau, on ne ressent pas notre poids. Le premier soir, je me dirigeais vers la piscine avec mon maillot très, très grand et je me trouvais tellement stupide. Je me disais : « *C'est encore un* trip *de gros qui veut maigrir.* »

Avez-vous déjà essayé de maigrir d'un seul kilo ? Vous comme moi savez comment ce peut être difficile. Eh bien, dans mon cas, je devais en perdre 115 ! Je suis entré dans la piscine, j'ai nagé deux longueurs de peine et de misère. Par la suite, j'ai dû sortir de l'eau, mais pas par mes propres moyens ; j'en suis sorti en ambulance ! Je n'étais plus capable de respirer. Je me disais : « *Belle récompense pour quelqu'un qui veut changer.* » Surtout quelle défaite ! Mon orgueil en a pris pour son rhume. Combien de gens ici auraient tout simplement cessé de faire des efforts après l'incident de l'ambulance ?

La majorité des gens s'arrêtent après une seule défaite. Après une défaite, on perd confiance en soi. C'était mon cas également. Encore une fois, j'avais échoué. En revanche, je me suis dit que si je ne continuais pas, personne ne le ferait à ma place. J'étais maintenant le seul responsable de ma destinée. J'ai donc décidé d'y retourner le lendemain. Prise 2. Eh bien, croyez-le ou non, ce coup-là, j'ai fait quatre longueurs avant de retourner à l'hôpital.

Par la suite, j'ai continué d'avancer petit pas par petit pas. C'est ce qui m'a permis de me rendre compte que chaque action accomplie en fonction d'un objectif a son importance. Chaque centimètre que l'on conquiert est un centimètre vers la victoire. Les coûts de l'inaction sont beaucoup plus importants que ceux de l'action.

Chaque chose, aussi petite soit-elle, qui vous rapproche de vos desseins en vaut la peine. J'y suis allé centimètre après centimètre. Après avoir franchi des centimètres, j'ai réussi à parcourir des mètres à vélo, et à la fin, je participais à mon premier triathlon, en 2005.

Mon objectif de départ était de nager dix longueurs de piscine sans me retrouver à l'hôpital. C'était immense pour moi à l'époque, mais du point de vue d'un nageur olympique, cela pourrait sembler une banalité. Rappelez-vous qu'un accomplissement reste un accomplissement. L'auteur français Albert Camus a écrit dans ses éventuels *Carnets* : « Tout accomplissement est une servitude. Il oblige à un accomplissement plus haut. » Cela résume bien ce que j'ai vécu pendant cette période de ma vie.

Cinquième étape : Garder le cap

Pour demeurer efficace, c'est très important de toujours garder le cap. Il faut sans cesse de nouveaux buts, de nouveaux défis à atteindre ! C'est probablement ce qui est le plus difficile, car c'est ce qui va vous demander le plus d'adaptabilité et de remises en question. Mais il faut toujours continuer. Vous devrez trouver des façons de garder le cap, et si vous y croyez, si vous croyez en vous-même, tout ce à quoi vous aspirez se réalisera. Le potentiel de tout être humain est énorme, d'autant plus que nous craignons tous de l'exploiter au maximum.

Je le répète : n'ayez pas peur de vous-même. Vous avez le pouvoir de changer le cours de votre vie ; il suffit d'y croire, de croire en VOUS. Le jour où *vous* déciderez de changer, rien ne pourra vous arrêter. Si toutefois, à un certain moment, vous désespérez et sentez que vous n'y arriverez pas, à ce moment-là, gardez une petite place dans votre mémoire et votre cœur pour moi. Rappelez-vous que je suis passé de 205 kilos, à l'aube de la mort, à 82 kilos. J'ai enfin choisi ma destinée et, aujourd'hui, je suis une personne épanouie, qui caresse de multiples rêves et ambitions.

Je vous laisse sur cette magnifique pensée de Voltaire, ce grand écrivain et philosophe français. Un jour, le célèbre écrivain a écrit ceci : « J'ai décidé d'être heureux parce que c'est bon pour la santé. »

Conclusion

Selon la définition du dictionnaire, la réussite est un résultat heureux, un succès. Ce lourd volume oublie cependant de nous préciser que la réussite, ce résultat heureux, ne s'obtient pas en se contentant de regarder passer le train.

Il y a quelques jours, au lancement d'un livre écrit par un ami, j'entendais des gens discourir ; leur discussion portait sur la réussite facile de mon copain écrivain. Il a, paraît-il, le succès collé à la peau. Tout lui réussit.

Moi qui le connais bien, je sais pourtant tous les efforts qu'il a déployés dans les entreprises de sa vie. Je l'ai même vu pleurer quand certains de ses projets se sont écroulés ou que les éditeurs, les uns après les autres, ont refusé de publier le volume sur lequel il avait investi tant d'heures en recherches et écriture. Il croyait néanmoins en ses rêves et, surtout, il aspirait avec confiance à la réussite qui couronnerait ses nombreuses heures de travail, de renoncement, consenties en vue de parvenir à cet heureux jour du lancement.

À chaque étape de notre vie, il faut savoir se dépasser devant l'adversité, croire en soi avant de redouter la concurrence. Il importe d'abord, bien sûr, de se fixer un but à atteindre, et d'y croire plus fort que tout. Bien souvent, il est sage d'éviter d'en parler – sauf aux personnes susceptibles d'aider, qui veulent notre réussite éventuelle et surtout qui croient en nous. Nous savons tous par expérience que les commentaires négatifs étouffent les idées d'avancement et que les paroles positives nous portent sur leurs ailes.

Il y a des Jimmy Sévigny pour qui le but à atteindre était une question de vie ou de mort. Des Hugo Dubé, des Isabelle Fontaine, des Jasmin Bergeron et des Christine Michaud que la vision du succès a portés vers de très hauts sommets et qui ont, dans les pages de ce livre, partagé les routes de leur réussite dans la vie, mais aussi les voies de la réussite de leur vie... Ils y travaillent encore, jour après jour.

Il faut constamment fournir les efforts requis en vue de mener à bien notre entreprise ou notre rêve, et ne jamais lâcher: c'est vraiment un travail sinon un labeur quotidien. Voyez ces champions olympiques, telle Sylvie Fréchette, qui s'entraînent jour après jour, inlassablement, des années durant. Ces athlètes visent une performance de quelques secondes où leur énergie, leur talent et leur concentration maximisés conduisent au podium et à un nouveau record personnel. Ils obtiennent la réussite, voire le dépassement de soi, après s'être totalement investis, sur les plans physique, psychologique et moral.

Certains d'entre eux ne monteront pas sur les marches d'un podium olympique. Mais la réussite et le succès se situent à divers niveaux et sous plusieurs aspects. Se présenter à des jeux où tous les regards de la planète sont fixés sur vous est déjà une réussite indéniable. Il en va de même dans chacune des facettes de notre vie.

Il faut croire en notre propre réussite et ne négliger aucun effort pour devenir le meilleur vendeur de notre équipe, le chercheur le plus persévérant ou le patron le plus efficace de l'entreprise. Aussi, il faut rechercher le même succès dans notre vie personnelle et devenir le meilleur être humain de notre petite planète. Se réaliser en tant qu'individu jusqu'à être même fier de soi m'apparaît la plus grande réussite à laquelle nous devrions tous tendre avec énergie et passion.

Des auteurs nous ont raconté dans ces pages l'objet de leur réussite, comment ils ont goûté au succès et se sont maintenus parmi les gagnants. Plusieurs parcours ont été accomplis de peine et de misère, souvent le seul intérêt humain trouvait sa source dans la persévérance, on évoluait dans des conditions très difficiles. Jiang Min se trouvait dans un pays où l'atteinte du succès se compare à une course qui laisse rapidement derrière les individus non dotés d'une confiance illimitée en leur potentiel.

Espérons que *Les Voies de la réussite* vous aura procuré les outils et la motivation nécessaires à l'atteinte de vos objectifs et que sa lecture vous insufflera la confiance indispensable en vos capacités et en vos chances de réussite.

CLAIRE BERGERON
Vice-présidente
Bureau de Conférenciers Orizon

Conférences et formations du Bureau de conférenciers OriZon

Tous les participants de cet ouvrage
sont disponibles pour des conférences
ou formations sur des sujets variés.

Pour plus d'information :

Bureau de Conférenciers OriZon

info@orizon.ca

514 845-1111

www.orizon.ca

CHEZ LE MÊME ÉDITEUR :

Liste des livres :

«45 secondes» qui changeront votre vie, *Don Failla*

52 façons de développer son estime personnelle et sa confiance en soi, *Catherine E. Rollins*

52 façons simples de dire «Je t'aime» à votre enfant, *Jan Lynette Dargatz*

1001 maximes de motivation, *Sang H. Kim*

L'ABC d'une bonne planification financière, *Marc Beaudoin, Philippe Beaudoin et Pierre-Luc Bernier*

Abracadabra, comment se transformer en un bon gestionnaire et un grand leader, *Diane Desaulniers*

Accomplissez des miracles, *Napoleon Hill*

Agenda du Succès *(formats courant et de poche), éditions Un monde différent*

Aidez les gens à devenir meilleurs, *Alan Loy McGinnis*

À la recherche de soi et de l'autre, *Marilou Brousseau*

À la recherche d'un équilibre : une stratégie antistress, *Lise Langevin Hogue*

Allez au bout de vos rêves, *Tom Barrett*

Amazon.com, *Robert Spector*

Amour de soi : Une richesse à redécouvrir (L'), *Marc Gervais*

Ange de l'espoir (L'), *Og Mandino*

Anticipation créatrice (L'), *Anne C. Guillemette*

À propos de..., *Manuel Hurtubise*

Apprivoiser ses peurs, *Agathe Bernier*

Art de réussir (L'), *collectif de conférenciers*

Ascension de l'âme, mon expérience de l'éveil spirituel (L'), *Marc Fisher*

Athlète de la Vie, *Thierry Schneider*

Attitude 101, *John C. Maxwell*

Attitude d'un gagnant, *Denis Waitley*

Attitude gagnante : la clef de votre réussite personnelle (Une), *John C. Maxwell*

Attitudes pour être heureux, *Robert H. Schuller*

Augmentez votre QI financier, *Robert T. Kiyosaki*

Avant de quitter votre emploi, *Robert T. Kiyosaki et Sharon L. Lechter*

Bien vivre sa retraite, *Jean-Luc Falardeau et Denise Badeau*

Bonheur et autres mystères, suivi de La Naissance du Millionnaire (Le), *Marc Fisher*

Bonheur s'offre à vous : Cultivez-le ! (Le), *Masami Saionji*

Cancer des ovaires (Le), *Diane Sims*
Ces forces en soi, *Barbara Berger*
Ces parents que tout enfant est en droit d'avoir, *Claire Pimparé*
Chaman au bureau (Un), *Richard Whiteley*
Changez de cap, c'est l'heure du commerce électronique, *Janusz Szajna*
Chanteur de l'eau (Le), *Marilou Brousseau*
Chemin de la vraie fortune (Le), *Guy Finley*
Chemins d'Emma Rose (Les), *Emma Rose Roy*
Chemins de la liberté (Les), *Hervé Blondon*
Chemins du cœur (Les), *Hervé Blondon*
Choix (Le), *Og Mandino*
Cinquième Saison (La), *Marc André Morel*
Clé (La), *Joe Vitale*
Cœur à Cœur, l'audace de Vivre Grand, *Thierry Schneider*
Cœur plein d'espoir (Le), *Rich DeVos*
Comment réussir l'empowerment dans votre organisation? *John P. Carlos, Alan Randolph et Ken Blanchard*
Comment se faire des amis grâce à la conversation, *Don Gabor*
Comment se fixer des buts et les atteindre, *Jack E. Addington*
Communiquer: Un art qui s'apprend, *Lise Langevin Hogue*
Communiquer en public: Un défi passionnant, *Patrick Leroux*
Contes du cœur et de la raison (Les), *Patrice Nadeau*
Coupables... de réussir, *collectif de conférenciers et de formateurs*
Créé pour vivre, *Colin Turner*
Créez votre propre joie intérieure, *Renee Hatfield*
Cupidon à Wall Street, *Pierre-Luc Poulin*
Dauphin, l'histoire d'un rêveur (Le), *Sergio Bambaren*
Débordez d'énergie au travail et à la maison, *Nicole Fecteau-Demers*
Découverte par le Rêve (La), *Nicole Gratton*
Découvrez le diamant brut en vous, *Barry J. Farber*
Découvrez votre destinée, *Robin S. Sharma*
Découvrez votre mission personnelle, *Nicole Gratton*
De la part d'un ami, *Anthony Robbins*
Dépassement total, *Zig Ziglar*
Destin: Sérénité, *Claude Norman Forest*
Développez habilement vos relations humaines, *Leslie T. Giblin*
Développez votre leadership, *John C. Maxwell*
Devenez la personne que vous rêvez d'être, *Robert H. Schuller*
Devenez influent, neuf lois pour vous mettre en valeur, *Tony Zeiss*

Devenez une personne d'influence, *John C. Maxwell et Jim Dornan*
Devenir maître motivateur, *Mark Victor Hansen et Joe Batten*
Dites oui à votre potentiel, *Skip Ross*
Dix commandements pour une vie meilleure, *Og Mandino*
Dix secrets du succès et de la paix intérieure (Les), *Wayne W. Dyer*
De docteur à docteur, *Neil Solomon*
Don (Le), *Richard Monette*
Donner sans compter, *Bob Burg et John David Mann*
École des affaires (L'), *Robert T. Kiyosaki et Sharon L. Lechter*
En route vers le succès, *Rosaire Desrosby*
Envol du fabuleux voyage (L'), *Louis A. Tartaglia*
Esprit qui anime les gagnants (L'), *Art Garner*
Et si la vie c'était plus que ça? *Andreas Abele*
Eurêka! *Colin Turner*
Éveillez en vous le désir d'être libre, *Guy Finley*
Éveillez l'étincelle (L'histoire magique de *Frederic Van Rensselaer Dey* et Un message pour Garcia d'*Elbert Hubbard*
Éveillez votre pouvoir intérieur, *Rex Johnson et David Swindley*
Évoluer vers le bonheur intérieur permanent, *Nicole Pépin*
Excès de poids et déséquilibres hormonaux, *Neil Solomon*
Facteur d'attraction (Le), *Joe Vitale*
Faites la paix avec vous-même, *Ruth Fishel*
Faites une différence, *Earl Woods et Shari Lesser Wenk*
Favorisez le leadership de vos enfants, *Robin S. Sharma*
Feu sacré du succès (Le), *Patrick Leroux*
Fonceur (Le), *Peter B. Kyne*
Formation 101, *John C. Maxwell*
Fuir sa sécurité, *Richard Bach*
Graines d'éveil, *Vincent Thibault*
Grande Mascarade (La), *A.B. Winter*
Guide de survie par l'estime de soi, *Aline Lévesque*
Guide pour investir, *Robert T. Kiyosaki et Sharon L. Lechter*
Hectares de diamants (Des), *Russell H. Conwell*
Heureux sans raison, *Marci Shimoff*
Homme est le reflet de ses pensées (L'), *James Allen*
Homme le plus riche de Babylone (L'), *George S. Clason*
Homme qui voulait changer sa vie (L'), *Antoine Filissiadis*
Il faut le croire pour le voir, *Wayne W. Dyer*
Il n'en tient qu'à vous! *Ray Vincent*
Illusion de l'ego (L'), *Chuck Okerstrom*
Indépendance financière grâce à l'immobilier (L'), *Jacques Lépine*
Initiation: récit d'un apprenti yogi (L'), *Hervé Blondon*

Intuition : savoir reconnaître sa voix intérieure et lui faire confiance, *J. Donald Walters*
Jeune de cœur : André Lejeune, une voix vibrante du Québec (Le), Marilou Brousseau
Je vous défie ! *William H. Danforth*
Joies du succès (Les), *Susan Ford Collins*
Journal d'un homme à succès, *Jim Paluch*
Joy, tout est possible ! *Thierry Schneider*
Jus de noni (Le), *Neil Solomon*
Laisser sa marque, *Roger Fritz*
Leader, avez-vous ce qu'il faut ?, *John C. Maxwell*
Leadership 101, *John C. Maxwell*
Légende des manuscrits en or (La), *Glenn Bland*
Lever l'ancre pour mieux nourrir son corps, son cœur et son âme, *Marie-Lou et Claude*
Livre des secrets (Le), *Robert J. Petro* et *Therese A. Finch*
Lois de l'harmonie (Les), *Wayne W. Dyer*
Lois dynamiques de la prospérité (Les), *Catherine Ponder*
Magie de croire (La), *Claude M. Bristol*
Magie de voir grand (La), *David J. Schwartz*
Maître (Le), *Og Mandino*
Mana le Dauphin, *Jacques Madelaine*
Marketing de réseau 101, ce que vous devez savoir, *Joe Rubino et John Terhune*
Marketing de réseaux, un mode de vie (Le), *Janusz Szajna*
Massage 101, *Gilles Morand*
Maux pour le dire... simplement (Les), *Suzanne Couture*
Mégavie..., mon style de vie (La), *Robin S. Sharma*
Mémorandum de Dieu (Le), *Og Mandino*
Messagers de lumière, *Neale Donald Walsch*
Mes valeurs, mon temps, ma vie ! *Hyrum W. Smith*
Miracle de l'intention (Le), *Pat Davis*
Mission ? Passions ! *Aline Lévesque*
Moine qui vendit sa Ferrari (Le), *Robin S. Sharma*
Moments d'inspiration, *Patrick Leroux*
Momentum, votre essor vers la réussite, *Roger Fritz*
Mon bonheur par-delà mes souffrances, *Vania et Francine Fréchette*
« Mon père, je m'accuse d'être heureux », *Linda Bertrand* et *Bill Marchesin*
Né pour gagner, *Lewis Timberlake et Marietta Reed*
Noni et le cancer (Le), *Neil Solomon*
Noni, cet étonnant guérisseur de la nature (Le), *Neil Solomon*
Noni et le diabète (Le), *Neil Solomon*
Noni et ses multiples avantages pour la santé (Le), *Neil Solomon*

Nos enfants riches et brillants, *Robert T. Kiyosaki et Sharon L. Lechter*

Nous : Un chemin à deux, *Marc Gervais*

Ode à la joie (L'), *A.B. Winter*

On se calme... L'art de désamorcer le stress et l'anxiété, *Louise Lacourse*

Optimisez votre équipe : Les cinq dysfonctions d'une équipe, *Patrick Lencioni*

Osez Gagner, *Mark Victor Hansen et Jack Canfield*

Ouverture du cœur, les principes spirituels de l'amour (L'), *Marc Fisher*

Ouvrez votre esprit pour recevoir, *Catherine Ponder*

Ouvrez-vous à la prospérité, *Catherine Ponder*

Pardon, guide pour la guérison de l'âme (Le), *Marie-Lou et Claude*

Pensée positive (La), *Norman Vincent Peale*

Pensez du bien de vous-même, *Ruth Fishel*

Pensez en gagnant ! *Walter Doyle Staples*

Père riche, père pauvre, *Robert T. Kiyosaki et Sharon L. Lechter*

Père riche, père pauvre (la suite), *Robert T. Kiyosaki et Sharon L. Lechter*

Périple vers la paix intérieure, le chemin de l'amour, *Marie-Lou et Claude*

Performance maximum, *Zig Ziglar*

Personnalité plus, *Florence Littauer*

Petites actions, grands résultats, *Roger Fritz*

Petites douceurs pour le cœur, *Nicole Charest*

Philosophe amoureux (Le), *Marc Fisher*

Plaisir de réussir sa vie (Le), *Marguerite Wolfe*

Plus beaux paysages et panoramas de golf au Québec (Les), *Nadine Marcoux*

Plus grand miracle du monde (Le), *Og Mandino*

Plus grand mystère du monde (Le), *Og Mandino*

Plus grand succès du monde (Le), *Og Mandino*

Plus grand vendeur du monde (Le), *Og Mandino*

Plus grands coachs de vente du monde (Les), *Robert Nelson*

Plus vieux secret du monde (Le), *Marc Fisher*

Pour le cœur et l'esprit, *Patrick Leroux*

Pouvoir de la pensée positive (Le), *Eric Fellman*

Pouvoir de la persuasion (Le), *Napoleon Hill*

Pouvoir de vendre (Le), *José Silva et Ed Bernd fils*

Pouvoir magique des relations d'affaires (Le), *Timothy L. Templeton et Lynda Rutledge Stephenson*

Pouvoir triomphant de l'amour (Le), *Catherine Ponder*

Pouvoir ultime : vers une richesse authentique, *Pascal Roy*
Prenez du temps pour vous-même, *Ruth Fishel*
Prenez rendez-vous avec vous-même, *Ruth Fishel*
Prenez de l'altitude. Ayez la bonne attitude !, *Pat Mesiti*
Principes spirituels de la richesse (Les), *Marc Fisher*
Progresser à pas de géant, *Anthony Robbins*
Propos sur la différence, *Roger Drolet*
Prospérité par les chemins de l'amour : De la pauvreté à l'épanouissement : mon histoire (La), *Catherine Ponder*
Provoquez le leadership, *John C. Maxwell*
Quand on veut, on peut ! *Norman Vincent Peale*
Quel Cirque ! *Jean David*
Qui va pleurer… quand vous mourrez ? *Robin S. Sharma*
Règles ont changé ! (Les) *Bill Quain*
Relations 101, *John C. Maxwell*
Relations efficaces pour un leadership efficace, *John C. Maxwell*
Relations humaines, secret de la réussite (Les), *Elmer Wheeler*
Renaissance, retrouver l'équilibre intérieur (La), *Marc Gervais*
Rendez-vous au sommet, *Zig Ziglar*
Retour du chiffonnier (Le), *Og Mandino*
Réussir à tout prix, *Elmer Wheeler*
Réussir grâce à la confiance en soi, *Beverly Nadler*
Réussir n'est pas péché, *collectif de conférenciers et formateurs*
Réussir sa vie : Les chemins vers l'équilibre, *Marc Gervais*
Rien n'est impossible, *Christopher Reeve*
Sagesse des mots (La), *Baltasar Gracián*
Sagesse du moine qui vendit sa Ferrari (La), *Robin S. Sharma*
S'aimer soi-même, *Robert H. Schuller*
Saisons du succès (Les), *Denis Waitley*
Sans peur et sans relâche, *Joe Tye*
Savoir vivre, *Lucien Auger*
Secret (Le), Rhonda Byrne
Secret d'un homme riche (Le), *Ken Roberts*
Secret de la rose (Le), *Marc Fisher*
Secret est dans le plaisir (Le), *Marguerite Wolfe*
Secrets de la confiance en soi (Les), *Robert Anthony*
Secrets d'une communication réussie (Les), *Larry King et Bill Gilbert*
Semainier du Succès (Le), *éditions Un monde différent ltée*
Six façons d'améliorer votre santé grâce au noni, Neil Solomon
Sommeil idéal, guide pour bien dormir et vaincre l'insomnie (Le), *Nicole Gratton*
Stratégies de prospérité, *Jim Rohn*
Stratégies du Fonceur (Les), *Danielle DeGarie*

Stratégies pour communiquer efficacement, *Vera N. Held*
Succès d'après la méthode de Glenn Bland (Le), *Glenn Bland*
Succès n'est pas le fruit du hasard (Le), *Tommy Newberry*
Succès selon Jack (Le), *Jack Canfield et Janet Switzer*
Technologie mentale, un logiciel pour votre cerveau (La), *Barbara Berger*
Télépsychique (La), *Joseph Murphy*
Tendresse : chemin de guérison des émotions et du corps
par la psycho-kinésiologie (La), *Hedwige Flückiger et Aline Lévesque*
Testament du Millionnaire (Le), *Marc Fisher*
Tiger Woods : La griffe d'un champion, *Earl Woods et Pete McDaniel*
Tout est dans l'attitude, *Jeff Keller*
Tout est possible, *Robert H. Schuller*
Tracez votre destinée professionnelle, *Mylène et Mélanie Grégoire*
Ultime équilibre yin yang (L'), *Mian-Ying Wang*
Un, *Richard Bach*
Une larme d'or, *Sally Manning et Danièle Sauvageau*
Une meilleure façon de vivre, *Og Mandino*
Une révolution appelée noni, *Rita Elkins*
Univers de la possibilité : un art à découvrir (L'), *Rosamund et Benjamin Stone*
Université du succès, trois tomes (L'), *Og Mandino*
Vaincre l'adversité, *John C. Maxwell*
Vie est magnifique (La), *Charlie « T. » Jones*
Vie est un rêve (La), *Marc Fisher*
Vieux Golfeur et le Vendeur (Le), *Normand Paul*
Visez la victoire, *Lanny Bassham*
Vivez passionnément, Peter L. Hirsch
Vivre Grand : développez votre confiance jusqu'à l'audace, *Thierry Schneider*
Vivre sa vie autrement, *Eva Arcadie*
Voies de la réussite (La), *collectif de conférenciers*
Vous êtes unique, ne devenez pas une copie !, *John L. Mason*
Vous inc., découvrez le P.-D. G. en vous, *Burke Hedges*
Voyage au cœur de soi, *Marie-Lou et Claude*
Zoom sur l'intelligence émotionnelle, *Travis Bradberry et Jean Greaves*

Liste des disques compacts :

Conversations avec Dieu, *Neale Donald Walsch*
Créez l'abondance, *Deepak Chopra*
Dix commandements pour une vie meilleure, (disque compact double) *Og Mandino*

Lâchez prise! (disque compact double) *Guy Finley*
Mémorandum de Dieu (Le), (deux versions: Roland Chenail et Pierre Chagnon), *Og Mandino*
Père riche, Père pauvre, (disque compact double) *Robert T. Kiyosaki et Sharon L. Lechter*
Quatre accords toltèques (Les) (disque compact double), *Don Miguel Ruiz*
Sept lois spirituelles du succès (Les) (disque compact double), *Deepak Chopra*